ESCOLHA VOCÊ

James Altucher

ESCOLHA VOCÊ

Transforme-se em uma máquina de ideias,
aprenda a resolver problemas e ganhe dinheiro

Prefácio
Dick Costolo, CEO do Twitter

Tradução
Iona Teixeira Stevens

Título original: *Choose yourself – Be happy, make millions, live the dream*

Publicado mediante acordo com James Altucher, em conjunto com seus agente e coagente, 2 Seas Literary Agency e VBM Agência Literária.

O texto deste livro foi fixado conforme o acordo ortográfico vigente no Brasil desde 1º de janeiro de 2009.

Revisão: Grazielle Veiga
Capa: Thiago Lacaz
Impressão e acabamento: Bartira Gráfica

1ª edição, 2013

Impresso no Brasil

CIP-BRASIL.
Catalogação na publicação Sindicato Nacional dos Editores de Livros, RJ

A469e

Altucher, James

Escolha você : transforme-se em uma máquina de ideias, aprenda a resolver problemas e ganhe dinheiro / James Altucher; tradução Iona Teixeira Stevens. - 1ª. ed. - São Paulo: Alaúde, 2013.

240 p. : il. ; 21 cm.

Tradução de: Choose yourself! : be happy, make millions, live the dream

ISBN 978-85-7881-219-5

1. Mudança de vida. 2. Autorrealização. 3. Técnicas de autoajuda. I. Título.

13-04569 CDD-158.1
CDU-159.947

2013
Alaúde Editorial Ltda.
Rua Hildebrando Thomaz de Carvalho, 60
04012-120, São Paulo, SP
Tel.: (11) 5572-9474
www.alaude.com.br

Para mim. Eu me escolho!

Sumário

Prefácio

Comecei como bacharel em ciência da computação. Depois, me empolguei com a ideia de fazer comédia stand-up. Aí, de alguma forma, acabei me tornando CEO do Twitter. Vivemos em um mundo onde o caminho de tijolos amarelos tem muitas bifurcações e pode nos levar a jornadas incríveis.

Está cada vez mais difícil saber o destino final dessas jornadas.

A era em que as gigantes corporações tomavam conta de nós do começo ao fim acabou. Mas essa é uma notícia animadora. Significa que podemos escolher a vida que queremos para nós mesmos. Você escolhe essa vida dando o melhor de si neste exato momento. Agora. Sendo ousado neste exato momento. Agora. Não tem isso de esperar o momento certo. O Twitter é o mundo inteiro conversando neste exato momento. É a improvisação do planeta neste segundo. E, sim, muitas vezes é cômico. E muitas vezes é sobre pessoas que se reinventam e começam novas conversas em sua vida.

O que gosto em James e em seu livro é que dá para perceber que ele passou por um turbilhão parecido. Ele escolheu o próprio caminho de sucesso, sem saber qual seria o resultado. E o que vai acontecer com ele depois – bom, espero que não acabe na sarjeta –, quem sabe?

O segredo é ser ousado neste exato momento. Como James diz no título deste livro, "escolha você", e ele explica como fazer isso. Escolha você agora mesmo.

Se fizer isso, não apenas você não conseguirá planejar o impacto que terá como muitas vezes não vai reconhecê-lo enquanto estiver no meio dele. Mas uma coisa é certa: se você não fizer escolhas corajosas para si mesmo, ninguém vai.

Não há um único caminho. Há todos os caminhos. Todos os caminhos começam com este exato momento. Você escolheu a si mesmo neste momento? Você consegue ser ousado? Então todos os caminhos levarão ao mesmo lugar. A este exato momento.

#EscolhaVocê #ChooseYourself
Dick Costolo,
CEO do Twitter

Eu me escolho: uma introdução

Eu ia morrer. O mercado tinha quebrado. A internet tinha quebrado. Ninguém respondia às minhas ligações. Eu não tinha amigos. Ou teria um ataque cardíaco ou iria simplesmente me matar. Eu tinha um seguro de vida de 4 milhões de dólares. Queria que meus filhos tivessem uma vida boa. Concluí que a única maneira de isso acontecer seria me matar. Meus gastos estavam fora de controle. Eu tinha ganhado uma grana e adotado o estilo de vida de um rockstar bêbado. Aí perdi o dinheiro, minha conta bancária ficou o tempo todo zerada durante a maior crise econômica em vinte anos, talvez. Estou falando de 2002, mas poderia também estar me referindo a 2008: o ano em que perdi minha casa, minha família, meus amigos, dinheiro, trabalhos.

A excruciante queda livre começou em 1998, quando vendi uma empresa bem na hora em que a bolha das ponto-com começou a inflar de verdade. Eu era um dos espertos, pensei. Saí enquanto ainda estava ganhando. Aí fiz tudo errado. Comprei uma casa pela qual não podia pagar. Tinha hábitos que não podia manter. Apostei, esbanjei, dei e emprestei dinheiro para todo mundo que eu conhecia. Centenas, milhares de dólares. Depois, milhões de dólares.

Comecei outra empresa. Investi milhões nela. Sentia que precisava comprar amor. E se eu não tivesse uma quantidade enorme de dinheiro para comprá-lo, ninguém me amaria. Não deu certo.

Perdi minha casa. Perdi todo o meu dinheiro. Perdi o que restava da minha autoestima. Perdi meus amigos. Não tinha ideia do que ia fazer. Tinha fracassado em todas as tentativas de salvar o barco, de prosperar.

Olhava para minhas filhas e chorava, porque achava que tinha arruinado a vida delas. Eu não era apenas um fracasso como pessoa, ou um fracasso nos negócios; eu era um fracasso como pai também. Eu nem tinha dinheiro suficiente para pagar todo mês a hipoteca que mantinha um teto sobre a nossa cabeça.

Eu estava perdido e mal pago. Não tinha nada. Zero. *Menos* que zero, na verdade, já que tinha dívidas. Milhões em dívidas.

Em 2002, não havia mais nada na minha conta no banco. Pensei que não ter dinheiro seria meu pior momento. Pior que a morte. Eu estava enganado.

No final de 2002, tive uma conversa com meus pais. Eu estava com raiva e deprimido. Nós brigamos. Sobre o quê, não importa mais. Desliguei o telefone e os cortei da minha vida.

Durante os meses seguintes, meu pai tentou retomar o contato. Eu estava começando a dar a volta por cima. Estava escrevendo. Aparecendo na TV. Ele me parabenizou. Seus últimos parabéns foram cerca de seis meses depois daquela última vez em que falei com ele. Eu não respondi.

Na semana seguinte, ele teve um derrame. Ele nunca mais falou nada. Morreu sem que eu voltasse a falar com ele de novo.

E eu ainda estava quebrado, faminto, desesperado e deprimido. Em um constante estado de pânico. Ninguém me ajudava. Ninguém me dava uma chance. Ninguém me dava uma oportunidade para mostrar como eu era talentoso. Eu sabia que precisava batalhar para vencer na vida, mas o mundo estava de cabeça para baixo e eu não sabia como deixar as coisas em ordem, como consertá-las.

O ano de 2008 foi uma cópia exata de 2002. Consegui me reerguer. Fundei e vendi outra empresa. Ganhei muito dinheiro e, esbanjando como um idiota, desperdicei tudo. De novo. Só que dessa vez eu estava me divorciando, perdendo ainda mais amigos, fracassando em duas outras empresas ao mesmo tempo e não tinha ideia do que fazer para sair do buraco que eu mesmo havia cavado.

Esse tipo de coisa não aconteceu comigo apenas uma vez. Ou duas. Foram muitas vezes. Nos últimos vinte anos, fracassei em cerca de dezoito dos vinte negócios que comecei. Devo ter mudado de carreira umas cinco ou seis vezes, em vários setores, desde softwares até finanças e mídia. Escrevi dez livros. Perdi muitos empregos. Fiquei arrasado, derrotado, suicida, desesperado, ansioso, deprimido. E em todas as vezes tive que me reinventar, reinventar meus objetivos e minha carreira. Na maioria das ocasiões, não percebi quais eram os passos que eu repetia, tanto os positivos quanto os negativos. Assim que atingia o sucesso, inevitavelmente voltava aos maus hábitos e passava a dilapidar minha boa sorte.

Mas daquela vez, em 2008, havia algo de diferente. O mundo estava mudando. O dinheiro estava saindo do sistema. Todos estavam sendo demitidos. Parecia que as oportunidades estavam desaparecendo tão rápido quanto o dinheiro. Agora não era apenas eu que estava fracassando, era o mundo inteiro, e não havia saída.

Meu estômago doía o dia inteiro só de pensar. *Não há saída. Não há saída.* Ficava repetindo isso na minha cabeça. Eu tinha a impressão de que morreria de tanto repetir aquelas palavras. Mas eu não podia, e as crianças? Eu tinha que melhorar. *Eu tinha*. Tinha que tomar conta de mim, das minhas filhas. Tinha que descobrir como sair de uma vez por todas do buraco, colocar os pés no chão e permanecer firme. Tinha que encontrar uma maneira, dentro de mim, de não apenas ser bem-sucedido, mas de prosperar.

Foi aí que caiu a ficha. Que tudo mudou. Quando percebi que ninguém iria fazer nada por mim. Se o objetivo era prosperar, sobreviver, a escolha era minha. Em todos os sentidos. As apostas estavam altas demais para eu não assumir o risco.

Não podemos mais nos dar ao luxo de depender dos outros e repetir os mesmos erros do passado. A maré subiu e trouxe consigo mudanças dramáticas na paisagem da nossa vida. Como veremos nos próximos capítulos, a classe média desmoronou, os empregos sumiram e todas as indústrias estão em processo de transformação. Para conseguir acompanhar tudo isso, as pessoas devem se transformar também.

Isso significa que, em todos os segundos, é preciso escolher você para ter sucesso. No meu caso, tive que olhar para trás e descobrir (finalmente!) o que era que eu fazia todas as vezes que me levantava, sacudia a poeira, dava a volta por cima e conseguia vencer novamente. Porque não dava mais para cair. Todas as manhãs, eu batia na madeira, literal e figurativamente, rezando para não sucumbir de novo aos meus hábitos viciantes. Ao perceber que a escolha é minha, esse processo mental mudou.

Agora, todos os dias quando acordo, eu agradeço. Tenho que fazer isso. E tenho que contar as coisas que são abundantes na minha vida. Literalmente contá-las. Se não, elas começam a desaparecer. Já as vi desaparecer antes, não quero que isso aconteça de novo.

Em algumas culturas, como o budismo, você *quer* que as coisas desapareçam da sua vida, você busca reduzir suas necessidades e seus desejos, para alcançar uma espécie de iluminação. Acredito nessa veia espiritual também, não acho que ela exclua a ideia de abundância. Se você diminuir as suas expectativas, por exemplo, fica fácil ir além.

Só que – e eu odeio dizer isso –, antes de mais nada, você tem que pagar suas contas. Contas são caras, e está cada vez mais difícil conseguir pagá-las. Uma coisa é conhecer "o segredo" e tomar quaisquer atitudes afirmativas sobre as quais você leu para trazer positividade à sua vida; outra coisa completamente diferente é criar de fato as próprias oportunidades.

Com certeza, você não vai conseguir isso lendo um livro. É um esforço que deve ser feito em todos os momentos do seu dia a dia. É uma prática que mistura saúde com as ferramentas dos especialistas em finanças e uma compreensão geral da crise econômica de merda em que estamos hoje.

Nos últimos quatro anos, comecei a escrever sobre essa prática e sobre os passos que dei na minha jornada para voltar ao mundo dos vivos. Nesse tempo, minha vida mudou de forma tão positiva que parece mágica. Mais até do que mágica, porque eu nem sonhava que isso seria possível. Ganhei milhões em negócios e investimentos (sem perder ou jogar tudo fora depois), conheci e me casei com o amor da minha vida, entrei em forma e todos os dias acordo e faço exatamente o que eu quero. Não apenas atestei os resultados como os vi nos meus leitores que aplicaram os mesmos princípios na vida deles.

É sobre isso que escrevo neste livro. Eu escolhi a mim mesmo. E você vai se escolher também.

A história econômica da Era do Escolha Você

Nos últimos 5.000 anos, as pessoas foram amplamente escravizadas por um seleto grupo de senhores que entendiam que violência, religião, comunicação, dívida e luta de classes trabalhavam juntas para subjugar um grande grupo de gente.

A imprensa de Gutenberg foi a primeira rachadura nessa prisão. Ela permitiu que as pessoas saíssem de seu confinamento solitário, espalhando ideias através de grandes distâncias, deixando que essas ideias se casassem entre si. O primeiro resultado disso foi a

Renascença, depois a Revolução Protestante e, por fim, descobertas científicas suficientes para acender a Revolução Industrial.

Mas a Era do Escolha Você tem suas raízes diretas na Segunda Guerra Mundial. Basicamente, foram as mulheres que a começaram.

Na Segunda Guerra, 16 milhões de americanos saíram dos Estados Unidos para matar pessoas. Enquanto isso, alguém tinha que trabalhar nas fábricas e nos escritórios para manter o país funcionando. As mulheres entraram em cena e assumiram esse papel.

Quando os homens voltaram, as mulheres, com razão, perceberam que não queriam mais ficar só em casa. Elas queriam trabalhar, contribuir e ganhar dinheiro. Ganhar dinheiro era divertido e lhes dava independência.

De repente, passamos de famílias com uma única renda a famílias com duas rendas, em uma economia em expansão no pós-guerra.

Pela primeira vez em cerca de trinta anos, os americanos tinham dinheiro. E muito. A industrialização americana estava se espalhando mundo afora. Logo os Estados Unidos estavam controlando a economia mundial. Conglomerados globais surgiram das cinzas de empresas quase falidas, que mal sobreviveram à Grande Depressão.

Pela primeira vez em décadas, os americanos não tinham que se preocupar em perder o emprego. Havia emprego suficiente para homens e mulheres. O crescimento das famílias com duas rendas trouxe mais dinheiro para dentro de todas as casas.

O que se fazia com esse dinheiro? Comprava-se o chamado Sonho Americano. Um sonho que nunca havia sido imaginado pelos patriarcas dos Estados Unidos, mas que ficou tão arraigado em nossa cultura a partir dos anos 1950 que contestá-lo era quase tão antiamericano quanto contestar a sabedoria da Constituição.

E o que era o Sonho Americano?

Começou com a casa com cerquinhas brancas. As pessoas não precisavam mais viver nas cidades, em apartamentos, com gente morando em cima e em ambos os lados. Quando nossos avós eram jovens, a maioria das pessoas morava em apartamentos. O prédio inteiro dividia um varal, as crianças brincavam no hidrante da rua, ouvia-se um peido a três portas de distância. O cheiro de esgoto e a constante batalha com os insetos faziam parte da vida normal de milhares de imigrantes.

Agora era diferente. As pessoas podiam se mudar para o subúrbio, com ruas largas, piscinas no bairro e ruas de lojas coloridas. Elas podiam ter um quintal. ESPAÇO! Elas compraram um carro e iam para o trabalho em enormes estradas de quatro faixas. Depois veio o segundo carro, para as viagens das férias.

Aí, então, um objeto mágico! Uma TV, para mantê-las entretidas durantes as silenciosas noites do subúrbio. Depois, TV a cores! *O capitão Kirk beijando a tenente Uhuru em cores!* E se sobrasse um dinheiro depois dessa, seus filhos iam para as faculdades que estavam pululando país afora, para que pudessem ter empregos ainda melhores, ganhar ainda mais dinheiro e ter casas ainda maiores.

Você deve estar achando que usei "Sonho Americano" porque é a expressão popular utilizada para descrever o ideal da casa de cerquinha branca. Quem dera fosse o caso.

Na verdade, o "Sonho Americano" vem de uma campanha de marketing desenvolvida pela empresa Fannie Mae para convencer os americanos, agora cheios de grana, a comprar hipotecas. Por que comprar uma casa com seu dinheiro suado se você pode usar o de outra pessoa? Deve ser a melhor campanha de marketing já concebida. Foi como um aspirador de pó, que sugou todo mundo e fez todos acreditarem que uma indústria de hipoteca de 15 trilhões de dólares levaria à felicidade universal. O "Sonho Americano" rapidamente substituiu a calmaria dos subúrbios pelo desespero da necessidade de estar sempre à frente.

Durante toda a vida, fomos enganados pelos slogans de marketing e pelos Mestres do Universo que os criaram. E não digo isso com um tom pejorativo. Não os culpo. Nunca culpo ninguém a não ser eu mesmo. A cada segundo que sou manipulado, coagido e abatido, é porque eu deixei. Eles só estavam fazendo o trabalho deles. Ainda assim... eles são manipuladores. Agora temos que aprender a diferenciar os estúpidos dos sábios e construir nossa própria vida.

Existe um ditado: "O homem culto quer sempre mais. O homem sábio quer menos. E depois quer menos ainda."

Todo mundo era culto. E queria dois carros, não apenas um. Uma casa maior. Todos os filhos na faculdade. Uma TV maior. Como pagar por tudo isso? Duas rendas não eram mais suficientes.

Os anos 1960 abasteceram a máquina da riqueza com a explosão do mercado de ações. Depois veio a [o programa de TV] *The Great Society*. Uma nova chamada de marketing! Quando o mercado de ações empacou, os anos 1970 trouxeram uma inflação massiva, que mantinha o crescimento da renda. A expressão "correndo atrás dos Jones" foi introduzida na cultura popular em 1976, refletindo a ideia de que nunca estamos satisfeitos. Não importa quantos bens materiais temos, há sempre a misteriosa família dos Jones que tem mais. Então *nós* precisamos de mais.

Nos anos 1980, houve outro boom no mercado de ações. E quando passou, tivemos o boom de títulos duvidosos no mercado, que manteve os americanos cheios de grana. Nos anos 1990, tivemos ao mesmo tempo o "dividendo da paz" da queda do Bloco Soviético e o boom da internet. Quando a Ásia quebrou, Alan Greenspan, presidente do conselho Federal Reserve (Fed), manteve a festa por meios artificiais, bombeando dinheiro no sistema – não apenas para evitar uma "contaminação asiática" em potencial, mas também por medo de que o bug do milênio estragasse o show.

A festa tinha que continuar, apesar do fato de a renda média dos trabalhadores masculinos estar caindo desde 1970 e de que a tendência era piorar. Não acredita em mim? Acredite nos dados:

RENDA MÉDIA ANUAL
(US$ 2009)

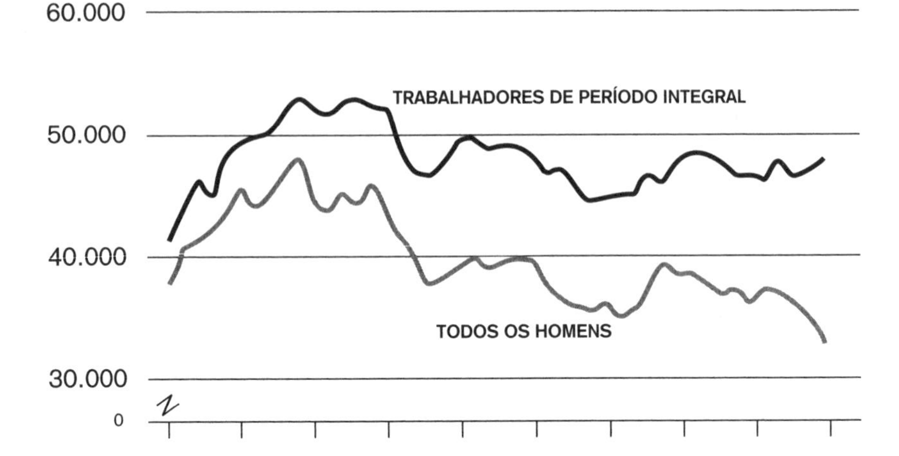

Nota: Homens entre 25 e 64 anos. Inflação corrigida pelo índice CPI-U.

Fonte: "The Problem With Men: A Look at Long-Term Employment Trends". The Hamilton Project, dezembro 2010. http://www.brookings.edu/opinions/2010/1203_jobs_greenstone_looney.aspx

Qualquer economista consegue achar uma explicação para este gráfico, mas a queda era inexorável pelas razões que vou descrever neste livro, entre elas, o crescimento da eficiência, a globalização, a inovação tecnológica e o simples fato de que seus chefes odeiam você.

Isso mesmo, eles odeiam você. Você gerou cada vez mais valor. Eles pagaram cada vez menos. No meu dicionário, essa é a definição de "desdenho".

E não é só o seu chefe. Ele também só está tentando sobreviver. É o chefe dele. E o chefe desse chefe. Degrau acima de degrau na escada corporativa. E quem está no alto? A gente nunca vai saber. Acredite em mim, nem você nem eu, nunca saberemos quem está no alto. Não falo isso como se fosse uma conspiração. É simplesmente um fato.

E então a internet entrou em colapso. Em vez de fortalecer as bases da economia americana, Alan Greenspan manteve o pé do

Fed no acelerador, imprimindo um monte de dinheiro que inundou o sistema imobiliário. O preço das moradias triplicou em várias partes do país, criando uma prosperidade artificial e levando a riqueza americana a seu pico histórico.

Claro que os gastos dos consumidores também aumentaram, graças aos bancos. Eles permitiram que as pessoas usassem seus títulos imobiliários como garantia dos cartões de crédito. Dá para imaginar? Todas as férias que você tirou e debitou no Visa eram pagas com as paredes finas da casa que aquecia seus filhos à noite. Uma casa que estava caindo aos pedaços – assim como a sua vida –, porque você não tinha dinheiro para consertar porque, Uhuh! VEGAS, BABY, VEGAS!

As dívidas de cartões de créditos pularam de 700 bilhões a 2,5 TRILHÕES de dólares em 2007. Em apenas dois anos. Agora todo mundo tinha uma TV de tela plana, duas casas, o equipamento de cozinha mais moderno, um barco, dois carros ecológicos (para atenuar a culpa pelo consumo voraz) e jantava fora duas ou três vezes por semana.

E quando digo "todo mundo", na verdade quero dizer "eu". Não sei nada sobre "todo mundo". Sei apenas o que aconteceu comigo, e eu estava afundado até o pescoço.

Após anos fundando várias empresas, ganhando e perdendo milhões, pensando que talvez eu tivesse "chegado lá", tive que me perguntar: onde era "LÁ"? Aonde exatamente eu tinha chegado? Não consigo nem pensar sobre isso. Toda vez que penso, começo a me coçar e a arrancar casquinhas de ferida, como um drogado ou um esquizofrênico. É como se eu desenvolvesse um grave problema nervoso do nada. Minhas mãos começam a tremer porque...

Argh!

2008.

A maré chegou. De repente todos estavam nus com a mão no bolso! Todo mundo sabe o que aconteceu: tudo desabou. Em expansões/crises econômicas anteriores, as inovações tecnológicas americanas de alguma forma protegeram a classe média. Mas aquele período acabou. Não há mais booms no horizonte, aos quais podemos nos atrelar. Os estudantes mais espertos da China, Índia e de outros lugares estão ficando em casa. E os que vão para os Estados Unidos para estudar voltam para casa depois da graduação em vez de se mudar para o Vale do Silício e criar empresas, gerando assim emprego e riqueza. As companhias e pessoas nos Estados Unidos cujas riquezas estão aumentando são aquelas que investem no exterior, buscando baratear o custo de capital por avanço tecnológico.

O que restou foi o governo aumentando a dívida. O governo salvou todos os bancos *e* passou a pagar aos bancos juros sobre os ativos, mantendo o sistema financeiro saudável de forma artificial. Deixa eu colocar isso de outro jeito.

Os preços sempre vão aumentar. A razão é simples: deflação dá mais medo que inflação. Em um ambiente deflacionário, as pessoas deixam de comprar por acreditar que podem comprar mais barato no dia seguinte. Então o governo sempre vai instituir políticas inflacionárias. Que, por sua vez, reforçam a tendência de queda da renda mediana. Ainda não acredita em mim? Eis uma prova:

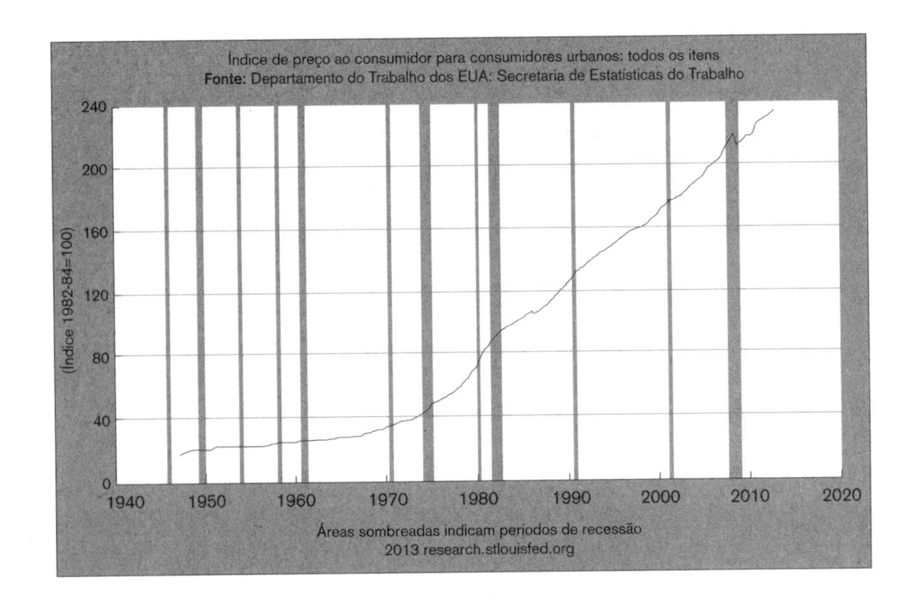

No gráfico, a inflação desde 1940, cortesia do Fed mais perto de você.

Está vendo a pequena queda em 2008/2009? Tivemos um pouquinho de deflação. Qual foi o resultado? A pior crise econômica desde 1929, taxa de desemprego na casa dos dois dígitos e uma classe média em declínio, enquanto a classe alta enriquecia.

Renda por domicílio nos Estados Unidos

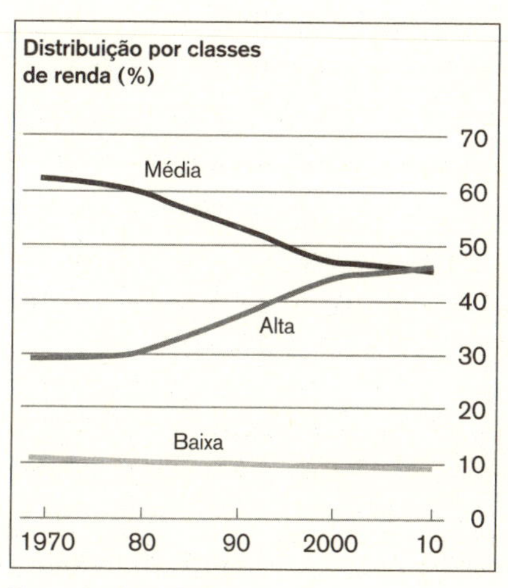

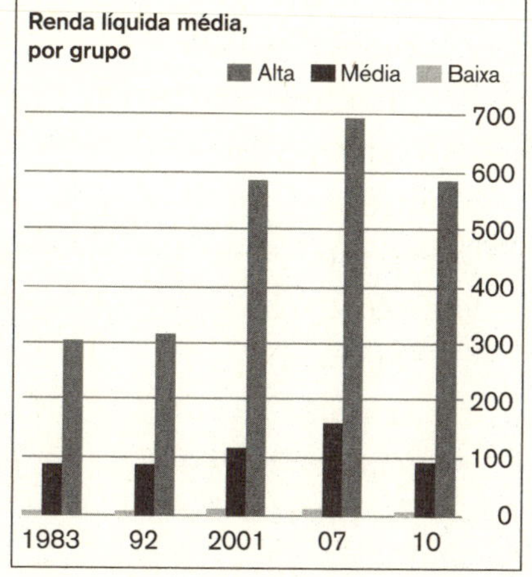

Fonte: Centro de Pesquisa Pew

Uma observação

Já parou para pensar por que o mercado de ações não continuou caindo? Por que ele voltou a crescer a partir de março de 2009 até o momento em que estou escrevendo isto, quando o mercado está atingindo recordes históricos?

Simples, e digo isso com toda humildade: fui eu que salvei pessoalmente o mercado de ações americano.

Eu me mudei para Wall Street no começo de março de 2009. Mais especificamente, na esquina das ruas Broad e Wall, no prédio que um dia foi do banco JP Morgan. Você talvez se lembre de que aquele prédio foi alvo do primeiro grande atentado terrorista aos Estados Unidos. No dia 1º de setembro de 1920, anarquistas italianos explodiram uma bomba, matando 38 pessoas e ferindo 143 (valeu Wikipedia. Valeu World Wide Web. Agora tenho todos os números que preciso para o resto da vida. Meu prédio, uma bomba, 38 mortos).

Uns 89 anos depois, no pior momento possível, alguém decidiu transformar o edifício em um prédio de apartamentos. O condomínio tinha pista de boliche, quadra de basquete, piscina, academia. E não se conseguia vender os apartamentos. O prédio era uma cidade fantasma. NINGUÉM queria morar em Wall Street. Não havia um grupo de pessoas mais deprimidas do que aquele que ia trabalhar todo dia na Bolsa de Valores de Nova York; por que alguém iria querer morar ali do lado? Era o buraco negro do capitalismo.

Então, lógico, eu me mudei para lá. Bem embaixo da minha janela estava a famosa Bolsa de Valores de Nova York. À direita estava o Federal Hall, onde George Washington prestou juramento como o primeiro presidente americano. Uma enorme bandeira ficava iluminada à noite, sua silhueta projetada diretamente no meu apartamento. Eu amava aquilo.

Eu amava morar ali, me sentia parte da história. Tipo, talvez pudesse ser um novo começo para mim – o que era estranho, já que estava tudo indo de mal a pior. O índice de valor de mercado da Standard & Poor's 500 (S&P 500) estava para atingir o menor valor dos últimos vinte anos, chegando ao número da besta, 666. Eu estava perdendo mais dinheiro do que jamais achei possível, e me divorciando. Teve um dia em que cometi o erro de olhar meu saldo bancário. Ponderei, mais uma vez, me jogar da janela ou descobrir quais drogas me deixariam anestesiado o suficiente para não pensar nunca mais sobre meus problemas.

Foi então que perdi o emprego. Ninguém telefonava para mim. Ninguém queria falar comigo porque eu era agressivo no mercado e todos achavam que eu era louco. Certamente ninguém queria me ajudar a fazer dinheiro. Eu estava tentando criar mais empresas, mas as pessoas tinham seus próprios problemas, e eu não estava nem com a saúde nem com as minhas prioridades em ordem (como veremos depois, isso é essencial para o sucesso). Eu estava tão deprimido quanto essas pessoas, e elas estavam tão deprimidas quanto o resto do mundo.

E não era só porque a bolsa estava em queda. Essa é uma desculpa fácil. A raça humana não sobreviveu 200.000 anos para ser estilhaçada por um pequeno lapso do capitalismo.

Foi uma década difícil. Estávamos todos sofrendo de "distúrbio do estresse pós-sócio-traumático". O primeiro passo era admitir. O colapso da internet, o 11 de Setembro, a corrupção corporativa em uma escala nunca antes vista, a quebra do mercado imobiliário, a crise financeira, falências, Madoff e por aí vai. Foi difícil. Como sociedade, ficamos com medo, muito medo para fazer algo.

Então, fiz a única coisa que podia: acordei cedo em uma manhã de março e comprei um saco de bombons, daqueles pequenininhos, que a gente distribui no Halloween. Às 8 da manhã, eu estava parado na entrada da Bolsa de Valores, distribuindo chocolates a todos que estavam entrando. As pessoas estavam de cabeça baixa, feito zumbis, quando entravam, mas quando paravam e olhavam para cima, pegavam um chocolate e sorriam.

Chocolate libera feniletilamina, o mesmo hormônio que é liberado quando você se apaixona. De repente, por um breve momento, todos na Bolsa de Valores estavam um pouco mais próximos da paixão. Isso os deixou um pouco menos deprimidos, pelo menos naquele dia. Não quer dizer que você deve comer chocolate o tempo todo. Vai ficar obeso. É bem melhor simplesmente se apaixonar.

Mas estávamos em um mês/ano/década difícil e merecíamos um descanso. Todos precisavam de um pedaço de chocolate antes do trabalho.

Era 9 de março. Segunda-feira. Na sexta-feira anterior, o índice S&P 500 tinha fechado a semana no nível mais baixo dos treze anos anteriores (e até hoje). No final daquela semana, o índice tinha subido quase 75 pontos. No final do mês, aumentou mais de 125 pontos. E vem crescendo desde então.

Não quero me gabar. Não estou tentando mostrar que foi maravilhoso o fato de eu ter salvado a economia mundial. Não é presunção se for verdade.

Isso não é uma discussão classista ou comunista. Também não se trata de otimismo ou pessimismo. Mais pessoas estão tendo sucesso financeiro do que nunca, enquanto o desemprego ou subemprego (a pessoa está trabalhando, mas em um emprego que paga menos do que ela está acostumada, para o qual é muito qualificada) atingiu o patamar de 20 por cento.

Então o resto de nós vai simplesmente morrer? Claro que não. Nem tudo é tristeza e melancolia. É apenas a realidade. E na verdade, é uma boa notícia. É o declínio das instituições que mentiram para nós nos últimos cem a duzentos anos. É uma nova realidade, a qual as pessoas que aplicam os princípios deste livro – que começam a trilhar o próprio caminho – podem aproveitar.

Seres humanos são exploradores natos. A ascensão do corporativismo (em oposição ao capitalismo) colocou as pessoas em cubículos, em vez de lá fora explorando o mundo, inventando e se manifestando. A ética da Era do Escolha Você é não depender dessas tendências sufocantes que derrubam as pessoas. Em vez disso, construa sua própria plataforma, tenha fé e confiança em si mesmo, e não em um sistema tendencioso, e defina seus próprios termos de sucesso.

É hora de voltarmos às nossas raízes. Hora de surfar na crista da onda. Se você for contra essa onda, a ressaca de uma renda média decrescente em uma classe média encolhida vai sugá-lo e você vai se afogar.

Permanentemente temporário

Recentemente, visitei um investidor que gerencia mais de 1 trilhão de dólares. Você pode achar que essa quantia é impossível. Eu achava. Mas há muito mais dinheiro por aí do que as pessoas imaginam, economizado centavo a centavo por famílias que acumulam, investem e reinvestem tudo isso há centenas de anos. E esse trilhão de dólares ao qual me referi pertencia a uma única família.

Estávamos no topo da verticalizada cidade de Nova York. O escritório dele inteiro tinha janelas de vidro. Ele me levou até uma delas. "O que você vê?", perguntou. Sei lá, pensei, prédios. "Andares vazios!", disse ele. "Olhe aquele ali. Um banco qualquer. Tudo vazio." Ele apontou para outro prédio. Seus dedos arranhavam a janela como... Sei lá... Uma aranha tecendo sua teia. "E aquele ali: uma agência de publicidade ou uma firma de advocacia ou um escritório de contabilidade. Olhe quantas mesas vazias. Elas viviam cheias, com funcionários o tempo todo. Agora estão vazias e nunca mais serão ocupadas de novo."

Naquela época conversei com vários CEOs e perguntei na cara dura: "Você demitiu as pessoas simplesmente porque era uma boa desculpa para se livrar daquelas que não eram mais úteis?" A resposta quase sempre era uma risada nervosa e um "É, acho que foi isso mesmo". E eles me disseram que, por causa da incerteza econômica constante, nunca mais iriam contratá-las novamente.

Há pouco tempo, comecei a fazer parte da diretoria de uma empresa de recrutamento de funcionários temporários com uma receita anual de 700 milhões de dólares. No ano anterior, a receita tinha sido de 400 milhões de dólares. Esse crescimento ocorreu em uma economia estagnada. Tenho agora a possibilidade de checar em primeira mão, e em tempo real, quais setores da economia estão contratando mais trabalhadores em tempo integral e quais estão passando a contratar mais temporários.

E o resultado é: ZERO setores estão contratando mais trabalhadores em tempo integral. Todos estão cortando pessoal, terceirizando para fora do país ou contratando funcionários temporários. E isso não vale apenas para trabalhadores de baixa renda nas indústrias, mas também para gerentes de nível médio, programadores de computador, contadores, advogados e até executivos sêniores.

Meu amigo investidor estava certo. A realidade é que as empresas não precisam mais contratar tantas pessoas assim porque a tecnologia alcançou seu destino manifesto nas revistas de ficção científica dos anos 1930. Essencialmente, os robôs substituíram os seres humanos. (O sonho se tornou realidade! A escravidão do cubículo finalmente acabou!) Há anos eu imaginava que isso ia acontecer. Eu trabalhava no departamento de tecnologia da HBO quando a internet começou a se espalhar pelas corporações americanas. Percebi então que ninguém mais iria precisar de departamentos de tecnologia. Para começo de conversa, pelo menos um terço dos programadores trabalhava em softwares de rede. Bom, a internet é um grande protocolo de rede. Então todas aquelas pessoas poderiam ser demitidas. Outro terço dos programadores trabalhava em softwares de interface de usuários. Bom, o navegador da rede resolve toda a questão da interface de usuário, então todas aquelas pessoas poderiam cair fora também.

Esse é apenas um exemplo, mas em todos os setores a tecnologia substituiu não apenas o papel ("o escritório sem papel") como também as pessoas. Empresas simplesmente não precisam mais da mesma quantidade de pessoas para ser tão produtivas quanto antes. Estamos indo em direção a uma sociedade sem empregados. Ainda não chegamos lá. Mas chegaremos. E tudo bem.

Mais do que nunca, estamos vendo start-ups sendo financiadas, conseguindo clientes e tirando negócios dos monólitos corporativos que dormiram no ponto. Mas não se trata apenas de dinheiro. Se fosse, seria um tédio. Também não se trata de ser um superempreendedor. Eu sou empreendedor, escritor e investidor. Nem todo mundo é empreendedor, e nem todo mundo quer ser um.

É uma nova fase da história, na qual arte, ciência, negócios e espírito se unem, externa e internamente, na busca da verdadeira riqueza. É uma fase na qual ideias são mais importantes que pessoas, e a opção pela felicidade é uma escolha de todos, como foi para mim. Todos terão que construir no seu íntimo a base para que essa escolha se manifeste. E dessa saúde interior virá o resto, seja um negócio, arte, saúde ou sucesso.

Um exemplo: Tucker Max é conhecido por seus livros "clube do bolinha". Os títulos dos dois primeiros best-sellers foram *I Hope They Serve Beer in Hell* [Espero que eles sirvam cerveja no inferno] e *Assholes Finish First* [Os babacas chegam em primeiro lugar]. Ambos venderam milhões de exemplares.

Mas ele não se contentou apenas com isso. A indústria editorial estava levando um pedaço do bolo. A posição dos caras: eles lidavam com distribuição, edição, marketing e publicidade – e pagavam adiantamentos. Tucker percebeu que, graças à tecnologia moderna, ele poderia prescindir daquilo. Por uma parte do custo, ele poderia pagar a edição, o marketing, a publicidade e a mesma distribuição da editora. Devido ao seu sucesso anterior, ele não precisava mais de adiantamento.

Então ele criou a própria editora para publicar o livro seguinte. O título era *Hilarity Ensues* [O hilário continua], e Tucker ficou com 80 por cento da receita. Ele fez a escolha dele e ganhou três vezes mais dinheiro, descontados os custos.

Isso é o que está acontecendo em todos os setores. A indústria da música se transformou. Artistas utilizam o YouTube para divulgar seu trabalho, e assim eles podem dispensar todos os grandes selos de uma só vez, pois agora podem vender as músicas diretamente no iTunes. Veremos um exemplo disso com o músico Alex Day.

Autores como Tucker Max conseguem dispensar uma indústria de quinhentos anos usando tecnologia, e podem faturar três vezes mais. Start-ups de tecnologia estão aparecendo a um ritmo dez vezes maior que no final dos anos 1990. E elas estão de fato gerando lucros e receitas na velocidade da luz.

Não é preciso mais esperar que os deuses corporativos dos Estados Unidos, as universidades, a mídia ou os investidores desçam das nuvens e escolham você para ter sucesso. Em cada uma das indústrias, a figura do intermediário está sendo eliminada, gerando mais desemprego, mas também mais eficiência e mais oportunidades para que ideias únicas gerem valor real. Você pode desenvolver essas ideias, executá-las e escolher você para o sucesso.

O ponto de partida é desenvolver a perspectiva interior que vai lhe permitir escolher você em primeiro lugar. Só o sucesso não traz felicidade, porque nada pode ser feito quando a saúde está ruim. Se seu corpo está doente, se você está rodeado de pessoas negativas, que botam você para baixo, se a sua "fábrica de ideias" não está sendo treinada para se tornar uma máquina perfeita e se, espiritualmente, você não adotou uma atitude de gratidão e entrega, você terá menos chances de sucesso na Era do Escolha Você.

"Peraí", você vai dizer. "Tucker Max escreveu um livro chamado *Assholes Finish First* [Os babacas chegam em primeiro lugar], que fala sobre todas as garotas com quem ele transou. Você vai me dizer que ele trabalhou todos esses aspectos da vida dele?"

Uma vez fiquei chateado porque uma sabichona famosinha mandou um tweet dizendo que um dos meus livros era uma porcaria. Perguntei se ela tinha lido o livro e ela admitiu que "não, só não gostei do título". Aí escrevi um post no blog sobre isso.

Do nada, recebi um e-mail de um fã do blog que achava que eu estava entrando de cabeça na negatividade. E ele estava certo. Ele escreveu:

> "Imagino que seu post tenha sido para zoar um comentário que afetou você negativamente. Mas se não for, por favor aceite este elogio sincero, de um escritor muito bem-sucedido para outro: eu amo o seu blog. Sim, tem suas peculiaridades e seus probleminhas estilísticos, mas é superoriginal e convincente, e essas são qualidades incrivelmente raras. Tem tanta coisa sendo escrita por aí, e muito pouco vale qualquer merda – mas seu blog é um desses que vale.
>
> Assino uns 25 blogs no meu RSS feed, e o seu é um deles. E nem sou um investidor ativo – não estou nem aí para seus conselhos financeiros.
>
> Por favor, continue fazendo o que você faz e não deixe os comentários covardes de cordeirinhos ignorantes e dos trolls botarem você para baixo. Tem zilhões de pessoas que leem tudo o que você coloca no blog e curtem tudo, mas a gente acaba não emitindo opinião, porque nós somos pessoas normais com vidas normais. Sério, quem é que escreve resenhas para a Amazon? Já me apresentei para milhões de pessoas, literalmente milhões, mas pelas mi-

nhas resenhas na Amazon parece que meu trabalho é dar socos em bebês. Essa é a merda da internet, e do feedback anônimo: você acaba ouvindo os extremos, ou aqueles que te amam mais que razoavelmente, ou aqueles que estão só espalhando toxicidade.

Fodam-se essas pessoas. Você faz um trabalho demais, que eu realmente curto.

Odeio parecer um budista bizarro, mas as únicas coisas que realmente importam nesse mundo são as relações que temos com aqueles que amamos, e as coisas significativas que você faz. Esses mal-amados nem de longe se encaixam nisso. Não ceda nenhum espaço mental a eles."

O e-mail estava assinado: "Tucker Max".

Nessa nova era, existem duas escolhas: virar um funcionário temporário (não é uma escolha *horrível*) ou tornar-se um artista-empreendedor. Escolher comercializar o seu trabalho, ou escolher ser você mesmo um criador, inovador, artista, investidor, marqueteiro e empreendedor. E eu digo "e" em vez de "ou" porque agora você tem que ser isso tudo. Não apenas uma coisa só. Um artista também deve ser empreendedor. E ponto. Essas SÃO as suas escolhas. Cubículos estão virando commodity. E quando isso acontece, eles se esvaziam. Vi com meus próprios olhos, quando visitei meu amigo investidor e observei os prédios vazios da janela de seu escritório.

E agora vejo acontecendo todos os dias. Não é apenas algo que pode ser mudado com leis ou com a impressão de mais dinheiro ou com uma mudança de valores. É a história agora. O mundo já mudou, e todas as peças estão se encaixando.

De que lado você vai estar?

... Aí eles riram

Quando eu tinha 12 anos, me apaixonei por uma garota no acampamento de verão. Lógico que, quando você gosta de uma garota, existe um protocolo importante a ser seguido, você não pode simplesmente dizer que gosta dela. Tem que contar primeiro para o seu amigo, que conta para a amiga dela, aí você tem sua resposta. Coloquei então o plano em ação.

Durante o Grupo de Arte, ou sei lá qual era o nome – só me lembro de estar cheio de tinta nas mãos, nas roupas e no rosto – a garota chegou perto de mim e disse: "Eu não namoraria com você nem no Dia de São Nunca!"

Todas as outras crianças começaram a rir. Um monitor tentou acalmar todo mundo e disse "Sejam gentis", mas claro que ninguém ouviu.

Observei a garota se afastar do celeiro (onde mais um grupo de arte seria?), coberto de tinta dos pés à cabeça, o cheiro de celeiro, o som das risadas – o único sentido que não está encravado na minha memória é o paladar, e ainda bem, porque provavelmente vomitaria.

Eu tinha sido rejeitado. Lembro de ter pensado: "Talvez não falte muito tempo para o Dia de São Nunca. Pelo menos ela gosta de mim o suficiente para cogitar ficar comigo quando esse dia chegar".

Rejeição – e o medo da rejeição – é o maior empecilho que enfrentamos quando fazemos nossas escolhas. Podemos todos escrever livros inteiros sobre os momentos em que fomos rejeitados. Somos rejeitados por namorados, amigos, família, pelo governo, pelo mundo corporativo, por investidores, parceiros, funcionários, editores e por aí vai.

Tente fazer este exercício. Lembre-se rapidamente de dez momentos em que você foi rejeitado. Você foi rejeitado para um trabalho? Teve um livro rejeitado? Por um possível namorado/namorada? Liste dez. Agora pense: seria fácil escrever cem? Eu provavelmente consigo contar mil. Mas e se você nunca tentar? E se tiver medo de tentar, por medo de ser rejeitado?

Disso eu entendo. Fui rejeitado mais vezes do que gostaria de lembrar, a ponto de às vezes achar que tinha atingido o limite. Quando você dá a cara a tapa diariamente, isto vai acontecer (quer você mereça ou não): e-mails raivosos, recusas para oportunidades (mesmo que em outras você seja aceito), gente que não entende, que fica chateada, que tem raiva e não respeita o que você faz por eles.

Não podemos odiar as pessoas que nos rejeitam, nem deixar que elas nos afetem muito. Também não devemos passar a mão na cabeça delas. Todo mundo age de acordo com seu próprio interesse. O que você precisa fazer é construir a casa em que vai morar, começando por um alicerce sólido: desenvolvendo sua saúde física, emocional, mental e espiritual.

"Seja gentil com as pessoas e tudo ficará bem." Isso não é um jargão New-Age "autoajudístico". Este é um livro sobre como *você* pode atingir o sucesso, e estes são o tijolo e a argamassa. A expressão *liberdade financeira* inclui o termo *financeiro*, mas também a palavra *liberdade*: liberdade para explorar as bênçãos que nos rodeiam. Liberdade para ajudarmos a nós mesmos, a fim de ajudar a outros. Liberdade para viver a vida que escolhemos viver, em vez da vida que foi escolhida para nós.

Este livro vai ajudar a construir a casa onde sua liberdade vai morar. Essa casa não existe no passado, tampouco pode ser construída onde você está agora. Essa casa está *lá fora*.

Desde os primórdios da humanidade, buscamos fronteiras. Achar que a civilização evoluiu a um ponto tal que podemos nos fiar na segurança é um mito. A única coisa realmente segura é tentar repetidamente. Ir atrás, ser rejeitado, repetir, se esforçar, desejar. Sem rejeição não há fronteira, não há paixão e não há mágica.

Como lidamos com a rejeição é uma combinação de vários fatores. Não depende apenas da nossa saúde mental, psicológica e emocional. Tem um ditado que diz "O tempo cura todas as feridas". Isso é verdade. Mas nós podemos controlar, até certo ponto, quanto tempo isso leva. Cada pessoa precisa de uma quantidade de tempo diferente, dependendo dos fatores que deixamos que nos afetem.

Veremos várias vezes esses fatores ao longo deste livro, quando eu descrever mais detalhadamente o que me referi em livros anteriores como "Prática Diária", e quando analisarmos as histórias de muitos que escolheram a si mesmos. Não porque eles queriam, mas porque precisavam. A solução é construir um alicerce e então agir positivamente: escolha você.

Pessoas com alto nível de ansiedade social relacionada à rejeição possuem níveis menores de um hormônio chamado oxitocina. Todos nós nascemos com níveis diferentes desse e de outros hormônios que nos ajudam a modular nossas reações a estímulos externos em campos diferentes como ansiedade social, dinheiro, felicidade e perda.

O nível de oxitocina pode aumentar através de nossa alimentação, de exercícios mentais, das relações com outras pessoas, e é até parcialmente responsável pela nossa atitude de gratidão pelos acontecimentos, tanto positivos quanto negativos, da vida.

O fato não é que as substâncias químicas dominam nossa vida. Pelo contrário. Mas para termos uma vida totalmente funcional, precisamos de um corpo funcional, um cérebro saudável, uma vida social funcional, um músculo da ideia funcional e uma noção fundamental de que não podemos controlar tudo. Por exemplo, eu não poderia ter forçado ninguém a me dar 1 milhão de dólares em 2002. Não mais do que ter forçado a garota a gostar de mim quando eu tinha 12 anos. E é inútil ficar obcecado por coisas que não podemos controlar. Isso nos deixa no banco de reservas. Temos que escolher continuar no jogo.

Terapeutas recomendam analisar o passado e ver de onde vem essa corrente de negatividade. Talvez seu pai ou sua mãe o tenha rejeitado na juventude e agora você é particularmente sensível quando se trata de rejeição.

Isso não funciona. Lidar com negatividade não vai de repente trazer resultados positivos. Traz apenas mais negatividade para a sua cabeça. Não se pode comprar felicidade usando a moeda da infelicidade. Essa ideia de que temos que "pagar nossas dívidas" é uma mentira contada por pessoas que queriam pagar barato por nossos esforços e nosso trabalho.

Você precisa construir uma base positiva: física, emocional, mental e espiritualmente. Quando esses quatro "corpos" estiverem trabalhando em harmonia, você pode sair pelo mundo. Você constrói o alicerce da casa em que quer morar.

Algumas pessoas dizem que através da rejeição encontramos a força. Isso é papo furado. Talvez você ache alguma força para perseverar. Mas dói também. Não gosto de ser rejeitado. Tem livros do tipo *Failing Forward* [Falhando em frente] e *Excuses Begone*

[Xô, desculpas] e outros com títulos voltados para o lado negativo, que aceitam a rejeição e dizem basicamente que o sucesso é 90 por cento fracasso e 10 por cento perseverança. Este livro não é desse tipo.

Eu acredito no seguinte: somos ensinados desde pequenos que não somos bons o suficiente, que alguém tem que nos escolher para sermos... o quê?

Abençoados?

Ricos?

Diplomados?

Legitimados?

Educados?

Possíveis parceiros?

Não sei. Mas essa sensação de insegurança nos oprime. Quando não somos escolhidos, nos sentimos mal. Quando somos – até por idiotas – parecemos aquela atriz (não lembro qual e me recuso a procurar saber) que disse em uma cerimônia de premiação, "Vocês gostam de mim! Vocês realmente, realmente gostam de mim!" (Goldie Hawn? Sei lá.) Precisamos desaprender esse aprisionamento. Não dissecá-lo nem analisá-lo. Apenas desaprendê-lo.

Quando ando de metrô, gosto de achar um lugar para sentar, ler e viajar até chegar ao meu destino. Quem não gosta? Ninguém gosta de se segurar nas barras disputadas e fedidas, trombando nas pessoas, se amontoando, chacoalhando a cada parada, tentando manter o equilíbrio a todo custo.

O que isso tem a ver com escolher você?

Um teste muito simples foi realizado por um psicólogo da Universidade Yale, Stanley Milgram. Ele recrutou dez alunos e os mandou para o metrô de Nova York. Lá, os estudantes perguntavam a todo tipo de pessoa (jovem, velha, negra, branca, mulher, homem, grávida etc.): "Posso me sentar no seu lugar?", e 70 por cento das pessoas cederam o lugar.

Dois fatos interessantes: primeiro, a alta porcentagem de pessoas que cederam o lugar. Eles simplesmente ouviram o pedido de se levantar e o fizeram. Mas o outro fato interessante foi a relutância dos estudantes a fazer o experimento. Pedir para se sentar no lugar das pessoas ia contra tudo aquilo que sempre aprenderam. Lógico que esse é um caso extremo, mas mostra como é difícil fazer coisas por nós mesmos, sem uma permissão implícita.

A Era do Escolha Você não quer dizer manipular ou sempre conseguir o que você quer. Mas entender as regras dessa era em que estamos hoje vai dar a você a confiança e as habilidades para simplesmente pedir ao mundo o seu devido lugar. Sem dúvida você vai conseguir o que quer. Não no sentido da Lei da Atração, pela qual você consegue aquilo que visualiza. Se todas as outras peças não estiverem no lugar certo, não funciona.

Este livro trata de todas essas outras peças, e de como colocá-las nos devidos lugares. É sobre entender os velhos mitos que não funcionam mais; os mesmos que criaram a imensa classe média americana, que está agora definhando, e que de quebra nos deixou com a Era do Escolha Você. Pessoas estão caminhando por aí feito cegos. Se você é uma das pessoas que conseguem enxergar, navegará por esse novo mundo, será um farol que melhorará a vida de todos à sua volta e, assim, deslanchará a lei da natureza segundo a qual, ao melhorar a vida de todos à sua volta, você inevitavelmente melhorará a sua.

Alguém tem controle sobre a sua vida?

Uns vinte anos atrás, percebi que estava cansado de tentar ser igual aos outros. Vivia constantemente tentando me adequar e ser escolhido para trabalhos, livros, negócios, parcerias ou amor. Dependendo da situação, eu vestia uma nova fantasia, uma nova máscara, arranjava um novo conjunto de mentiras, até mesmo sobre crenças políticas e religiosas. "Dan Quayle vai ser o melhor vice-presidente de todos os tempos," eu disse a uma garota, enquanto ela acendia meu cigarro, apesar de eu não fumar e achar que Dan Quayle era provavelmente a pior escolha para vice-presidente de todos os tempos. Aí quando fui tentar beijá-la no final da noite... "Eu não estou a fim de você." Rejeitado. Passei por mais duas rejeições que me enojaram por completo, até chegar ao ponto de dizer "Chega. Escolho a mim".

A primeira: eu estava vendendo a ideia de um programa de TV chamado *III:am*, 3 da manhã. A ideia era explorar o outro lado da vida. Das 7h às 20h, os "normais" estão por aí levando a vida. Vestindo terno, bebendo cappuccinos de leite de soja, puxando o saco do chefe, comendo três refeições, fofocando, assistindo TV, tomando uma taça de vinho no final de um dia difícil e finalmente se ajeitando para dormir, após terem aninhado todas as preocupações antes de outra noite de descanso.

Quando seres humanos "normais" acordam às 3 da manhã, normalmente é porque as preocupações os acordaram prematuramente. "James! Você tem que se preocupar com isso." E, quando isso acontece, trememos. Não há absolutamente nada que possamos fazer às 3 da manhã a respeito de arrependimentos, ansiedades ou medo da solidão, da depressão ou da pobreza. A paranoia se infiltra pelas rachaduras nas janelas, rachaduras das nossas mentes.

Para vocês que costumam acordar ansiosos e paranoicos às 3 da manhã, tentem este exercício: em vez de contar carneirinhos, contem todas as coisas pelas quais vocês podem agradecer. Até as partes negativas da sua vida. Encontrem um motivo para agradecer por elas. Tentem chegar até cem.

Mas e aquelas pessoas que vivem às 3 da manhã? Pessoas que zanzam por aí, levando a vida todos os dias nesse horário. Uma vida completamente oposta à dos "normais". Comecei a passear às 3 da manhã nas terças e quartas. Não aos sábados, quando todos estão se divertindo, mas naqueles dias em que, se você está fora de casa às 3 da manhã, tem um motivo. E não deve ser um motivo normal.

Encontrei mais que prostitutas, seus clientes, traficantes e desabrigados (apesar de ter certamente encontrado muita gente assim – inclua aí também vários transexuais não operados e dominatrixes). Havia também toda uma classe de pessoas que não se encaixava no padrão convencional da vida e teve que talhar o próprio caminho. Um caminho que existia apenas quando ninguém mais estava olhando, quando as luzes estavam apagadas, quando 95 por cento do mundo estava dormindo. Era como se existisse uma religião das 3 da manhã, uma religião autoconfiante, que valorizava o fato de o mundo estar de cabeça para baixo e, ainda assim, poder ser vivido no seu potencial máximo.

Durante três anos, entrevistei essas pessoas para o site da HBO. Nesse tempo, passei um ano também filmando o material para um piloto da HBO. O canal estava muito animado com o projeto, investiu até uma grana no piloto.

Aí eles rejeitaram.

Havia UMA executiva na HBO que poderia decidir o destino do projeto, com um simples "sim" ou "não". Eu vivia constantemente com medo dela e do que se passava na sua cabeça. Como estaria o humor dela na próxima reunião de apresentação?

Finalmente, ela deu seu veredito: "Para um material desse tipo, você precisa ou mostrar seus vizinhos trepando ou alguém pelado matando a mãe". Nosso material era bem próximo daquilo, mas não com um denominador comum tão baixo nível.

Fomos todos rejeitados. Bastou uma única pessoa num dia ruim. Ela era, e acho que ainda é, chefe de Documentários da HBO, e chefe também da Programação Familiar da HBO. Dos programas que as crianças assistem.

A segunda: estava tentando vender minha primeira empresa. Tínhamos um comprador em potencial. Eu não havia nem cogitado ir atrás de outros compradores. Eles iam oferecer 300.000 dólares. Eu tinha 500 dólares na conta e nunca tinha vendido uma empresa antes; na verdade não sabia nada sobre negócios – e mesmo assim tínhamos montado um pequeno negócio sólido e bem-sucedido.

Eu sonhava todo dia com aquilo. Achava que, com um pouco de grana no banco, poderia tirar um ano de férias, escrever um livro. Ou dois. Ou um programa de TV. Ou pedir demissão. Tanto faz.

Eles pareciam tão entusiasmados com o negócio quanto eu, então imaginei que o dinheiro estava garantido e não procurei outras oportunidades. Grande erro. Quando deixamos de buscar fronteiras, inevitavelmente ficamos presos em um pântano, afundando cada vez mais na lama. Não sei se essa é uma boa analogia, mas você entendeu o que eu quis dizer. O sucesso vem da expansão contínua das fronteiras, em todas as direções – criativa, financeira, espiritual e física. Sempre se pergunte: Em que posso melhorar? Com quem mais posso falar? Onde mais posso procurar?

Eis que, após meses de avaliação e negociação, a empresa nos rejeitou. Eu me senti péssimo.

Passei por essas duas situações no mesmo momento e pela mesma razão. Em cada uma delas, a minha felicidade inteira parecia depender das decisões de uma única pessoa. Dei a essa pessoa o poder de definir a minha vida.

Claro que as rejeições acabaram sendo boas para mim e sempre serão, por razões que têm a ver não apenas com perseverança, mas também com física quântica, saúde, espiritualidade, humanidade e várias outras coisas que irei discutir neste livro.

Mas a lição mais importante que essas rejeições me deram foi que eu NUNCA MAIS deveria confiar nos caprichos de uma única pessoa para escolher o meu sucesso ou fracasso em qualquer empreitada. E essa atitude deu certo?

Claro que não. É como dizer a alguém que gastou centenas de milhares em cirurgias plásticas para voltar a ser como era antes. O corpo não sabe mais como fazer isso. Continuei puxando saco, continuei caindo do cavalo, continuei sendo desonesto em relação às minhas necessidades.

Levou muito tempo até eu começar a praticar aquilo que me levou à doutrina da Era do Escolha Você. Este livro fala sobre essas práticas, para que você consiga pular os anos que demorei até fazer as minhas próprias escolhas.

A capacidade de escolher a nós mesmos – uma habilidade que estamos sendo forçados a adquirir, por razões discutidas no capítulo anterior – é o resultado de um quadro completo e compreensivo de saúde, que deve ser praticado, a fim de ser experimentado, e deve ser vivido, para ser cumprido. Se você não gostar das minhas recomendações, não as siga. Mas funcionaram para mim em todas as vezes que estive caído no chão. Tem sido a única maneira de voltar a ficar em pé.

Não importa o tamanho dela, uma onda na praia nunca será tão poderosa quanto o oceano que a criou. O objetivo é ser o oceano – a força central na nossa existência que move montanhas, cria vidas, sacode continentes e é respeitado por todos.

Este livro fala sobre como se tornar o oceano. Sobre como escolher você para ser o oceano. Para que tudo que você faça emane como ondas, mova a terra e melhore sua vida e a vida das pessoas ao seu redor.

Vamos então entrar na Era do Escolha Você.

Como escolher você

Sou um viciado. Por vinte anos substituí um vício por outro. Não consigo nem falar sobre todos eles. Estou de fato envergonhado. Constrangido.

Eu me agarrava ao vício que me fazia feliz naquele momento, seja qual fosse. Um incêndio suga todo o oxigênio de dentro de um quarto. Quando o oxigênio acaba, o fogo se apaga. Aí sobra a destruição. O vício é assim. Aparece de vários jeitos: empreendedorismo, drogas, sexo, amor, jogo e todas as formas de escapismo. Já fui viciado em todos eles, fui viciado até naquelas reuniões de 12 passos onde você encontra outras pessoas tão zoadas quanto você.

Vícios: vamos trabalhar cem horas por semana por fama, dinheiro, sexo, saúde, mais fama, dinheiro para ligar o foda-se, daí mudar completamente de ideia, comprar obras de arte moderninhas, casas enormes, cães de guarda, pit bulls que matam gente, ter contas de bancos maiores. Sério, vamos comprar o banco. Aí vamos conseguir o dobro de tudo isso aí em cima.

Agora existe um novo vício. "Tudo o que eu quero é liberdade", dizem por aí. Mas liberdade do quê? Quem está escravizando você, de quem você não consegue escapar? Aí querem liberdade para os filhos, ou os pais, ou os irmãos, ou os netos. Ou tataranetos. De onde vêm tantos netos? Ainda assim, "Tudo o que eu faço é por eles e para eles".

Por isso nos exaurimos. É muita luta por liberdade. Contra quem estávamos lutando esse tempo todo? Estávamos o tempo todo livres, sem perceber. Não estou carregando correntes ao escrever isto. Mas o sentimento é imenso: tudo o que eu quero é liberdade.

Existem dois princípios básicos para aproveitar essa liberdade e ser bem-sucedido na Era do Escolha Você. Não há como evitá-los, nem desculpas para não segui-los. A boa notícia é que são de graça.

1. **Faça apenas coisas de que você goste.** Isso pode parecer óbvio para você, mas não é para a maioria das pessoas. Alguém pode pensar "Ah, claro, seria ótimo fazer só o que gosto, mas tenho contas a pagar!" Relaxe por um segundo. Primeiro, vamos aprender a fazer o que gostamos. Não estou falando daquelas banalidades do tipo "somente se dedique a uma carreira de que você goste". Estou me referindo aos seus próprios pensamentos. Pense apenas nas pessoas de que você goste. Leia apenas os livros que você curte, que deixam você feliz por estar vivo. Vá apenas aos lugares que de fato façam você rir ou se apaixonar. Lide apenas com as pessoas que também te amem, que são vencedoras e que querem que você também seja um.

Isso é uma prática diária.

Só comecei a praticar isso nos últimos anos, depois de ter sido infinitamente infeliz, de ter me divorciado, perdido dinheiro, emprego, carreira, amigos, tudo aquilo a que eu me agarrava. Estava sozinho, comendo um sanduíche de peru no Dia de Ação de Graças em 2008, quando disse "Foda-se". Já chega.

Eu costumava sair toda noite. "Nunca se sabe", pensava. Ia a qualquer reunião de negócios para a qual me convidassem. "Nunca se sabe." Ia para a televisão sempre que era chamado. "Nunca se sabe." Talvez alguém fosse me VER e me ligar e me oferecer e me dar e me querer e gostar de mim e me amar. Quem sabe, talvez eles clicassem no meu botão "Curtir". Brilhante.

Nota mental: inventar aparelhos de TV com botões "Curtir" para que pessoas possam CURTIR o que passa na TV, e que isto seja retransmitido às emissoras

Noventa e nove por cento das reuniões não renderam dinheiro. Noventa e nove por cento das notícias são mentiras (vai por mim, sei do que estou falando). Noventa e nove por cento da televisão é apenas escândalo, assassinato e traição. Noventa e nove por cento das pessoas nas ruas roubariam doce de criança se você deixar.

Toda vez que você diz "sim" para algo que não quer fazer, o que acontece é: você fica com rancor das pessoas, faz um trabalho ruim, fica com menos energia para fazer as coisas que estavam indo bem, ganha menos dinheiro e uma pequena parte da sua vida vai ser destruída, consumida, deixando apenas um sinal de fumaça para o futuro, dizendo "fiz de novo".

O único fogo que você deve cultivar é o seu fogo interior. Nada no exterior vai alimentá-lo. Quanto maior for o seu fogo interior, mais as pessoas irão atrás dele. Elas acenderão todo tipo de drogas com o seu fogo. Tentarão usá-lo para acender o fogo delas, para iluminar a caverna escura em que vivem. O universo conspirará a seu favor.

Toda vez que você diz “sim” a algo que não quer, seu fogo perde força.

E você vai se consumir.

“Mas e se eu for obrigado a dizer ‘sim’ para algo que não quero fazer?” Ok. Temos que botar arroz e feijão na mesa, cumprir responsabilidades, poupar para a aposentadoria e muitas outras coisas que nos mantêm na prisão do “não”. Não se preocupe com isso ainda. A Prática Diária limpa a área e deixa tudo preparado para você saber se o seu “sim” ou “não” vem de uma satisfação interior e profunda.

2. **Faça a Prática Diária.** Você é um vazio. Literalmente. Nosso corpo é uma pequena galáxia. Galáxias têm bilhões de estrelas enormes, e ainda assim o espaço entre elas é tão gigante que uma galáxia é basicamente um vazio.

Exatamente como você. Você é feito de átomos. Cada pedaço de você. E ainda assim a matéria física de um átomo (prótons, nêutrons, elétrons) representa apenas um quinquagésimo de 1 por cento do espaço daquele átomo. O resto é vazio.

Então você é vazio. Não há nada aí dentro. O seu eu verdadeiro – o fogo verdadeiro – está dentro desse vazio. Passamos a vida com medo do vazio. Queremos preenchê-lo com amor, dinheiro, prazeres, qualquer coisa que elimine esse fato concreto. Mas nada disso é suficiente. Isso tudo acaba. A única coisa que não acaba é o vazio.

A melhor maneira que encontrei de preencher esse buraco é não procurar motivações externas para preencher o vazio, mas acender o *fogo interior que nunca se apagará*. Iluminar meu próprio céu interior. Então, como proceder?

Visualize seu corpo por um segundo. Você possui um coração que bombeia sangue 100.000 vezes por dia, 72 vezes por minuto, mandando quase 5 litros de sangue para todo o corpo. Se houver algum bloqueio – em alguma veia ou artéria – você morrerá rapidamente. Em questão de minutos. Isso se chama ataque cardíaco.

O sangue limpa o sistema e manda água, oxigênio e nutrientes a todas as partes do seu corpo.

Para viver mais tempo você precisa constantemente se certificar de que você está fazendo todo o possível para proteger seu coração e o sangue que passa por ele. É uma questão que depende de dieta, exercício, sono e outras coisas. Se o coração ficar doente, você morre. Quando você de fato morrer, não pense que foi por outra coisa, com certeza terá sido porque o coração ficou doente.

Imagine agora que você possui outros três corpos além de seu corpo físico:

- um corpo emocional
- um corpo mental
- um corpo espiritual

Imagine a força da vida fluindo entre eles e por eles, como o sangue. Um núcleo central que mantém tudo saudável. Da mesma maneira que você tem que manter seu coração saudável a fim de viver uma vida longa, produtiva e até feliz, você deve manter esses outros corpos saudáveis também e exercitá-los regularmente. Diariamente. Minuto a minuto. É isso que eu chamo de Prática Diária.

Pode parecer meio brega, ou besteirol. Não sei, não me importo. É um raciocínio que funciona para mim. Outras técnicas podem funcionar com outras pessoas. Boa sorte para elas. Isso é o que funciona para mim.

No próximo capítulo, vou descrever uma prática diária simplificada para iniciar o processo, mas já vou adiantar qual a melhor maneira de manter esses corpos saudáveis. A plataforma para você fazer suas escolhas deve ser construída sobre uma base de saúde (nos quatro corpos). O resto do livro descreve como usar essa base para construir as próximas camadas, para criar ainda mais escolhas que levam ao sucesso.

O CORPO FÍSICO. É a casca de que devemos cuidar para viver. Ele abriga tudo o que fazemos. E é bem simples. Sabemos quando estamos fazendo algo ruim para ele. Muitas vezes pensamos: "Assim que eu atingir o objetivo X, Y ou Z, vou entrar em forma". Mas não funciona assim. Não é uma questão de ser sarado e fortão ou ter um tanquinho ou sei lá o quê. Você só precisa ser saudável. Sabe o que isso quer dizer?

Você tem que fazer cocô todos os dias. Simples assim.

E como ficar saudável?

Não coma porcaria. Durma de sete a nove horas por noite. Não beba álcool em excesso. Faça exercícios. Não precisa correr 13 quilômetros por dia, caminhe. Você consegue caminhar dez minutos a cada hora e meia? Consegue caminhar por vinte minutos? Usar a escada em vez do elevador? Cinco minutos de yoga?

Minha rotina: acordo entre 5 e 6 da manhã. Tomo um café da manhã à base de proteinas (gosto da Dieta Slow Carb de Tim Ferriss, do livro *4 horas para o corpo*), e almoço tarde, entre 2 e 3 da tarde. Muitas caminhadas e pausas enquanto caminho. Exercício nunca é demais, e nenhuma pessoa criativa jamais reclamou de caminhar demais. Vou dormir entre 8 e 9 da noite. Ninguém nunca morreu de fome por deixar de fazer a terceira refeição do dia. E se você se alimentar muito tarde, ou beber álcool muito tarde (o que basicamente elimina beber álcool de modo geral), seu corpo tem problemas para fazer a digestão à noite. Isso afeta seu sono, que faz mal ao seu metabolismo de manhã, e por aí vai.

O CORPO EMOCIONAL. Emocionalmente, tento me cercar apenas de pessoas positivas, que me inspiram. Dessa forma, consigo aprender a ser mais positivo. Ser um feixe de luz para todos aqueles à minha volta.

É importante evitar pessoas que colocam você para baixo. Não de forma cruel, mas evite se relacionar ou conviver muito com pessoas que estão sempre sugando sua energia. Um amigo meu estava abrindo uma empresa enquanto eu escrevia este livro. Um de seus sócios o critica constantemente. Toda vez que falo com ele, ele diz "Fulano tá naquela de novo. Você não acredita no que ele disse agora". E aí ele começa um longo discurso rancoroso sobre os crimes contra a humanidade que o sócio cometeu.

A chave é: reconhecer que a pessoa é enlouquecedora. Não tem como evitar isso. Mas, ao prestar atenção, a dor começa a diminuir. E quanto menos você se relacionar com essa pessoa, menor será o efeito que essa pessoa terá sobre você. Mesmo se for uma pessoa próxima (e muitas vezes elas são; por isso conseguem alfinetar tanto), encontre maneiras de não se relacionar com ela. Diga "oi" no corredor, sorria de maneira simpática, mas não comece uma conversa. Imponha-se um cota diária de quanto você pode reclamar ou ficar ansioso por causa dela.

Não dá para ser bonito por fora sem antes se livrar da feiura interior. As pessoas viram babacas não porque nasceram assim, mas porque estão entupindo você de porcaria. Não deixe isso acontecer.

Há outro exercício que faço e que ajuda nesse assunto: tento ficar quieto. Em vez de falar a média de 2.500 palavras que a maioria das pessoas fala, tento falar apenas mil palavras por dia, quando possível. Isso me força a escolher cuidadosamente as minhas palavras e com quem eu converso.

O CORPO MENTAL. Sua mente busca desesperadamente ser A chefona. Ela precisa que você fique muito, MUITO OCUPADO com baboseiras para que ela possa fazer tudo aquilo que ela faz bem: obcecar, se preocupar, ter medo, se deprimir, se sentir exuberante, pensar no futuro, pensar no passado, pensar no pensar, PENSAR até... Exaustão.

Você precisa então domar esse cavalo selvagem, caso contrário ele vai dominar você até virar um escravo. Ninguém quer isso. Você doma a sua mente através do uso direcionado. Estabeleça uma meta: vou arranjar dez maneiras de ter mais tempo para mim. Ou arranjar dez maneiras de melhorar no trabalho. Ou dez ideias de negócios. Faça uma lista difícil. Você tem que EXERCITAR a mente, deixá-la cansada. Tão cansada que vai ficar quieta o resto do dia. Hoje ela não vai controlar você. ESGOTE A SUA MENTE! Depois comece de novo. MAIS dez ideias. Vou falar muito mais sobre isso no capítulo "Como virar uma máquina de ideias".

Vou contar o que fiz hoje. Uma empresa de ensino à distância me pediu para ter uma ideia para um curso online. Talvez eu acabe montando um curso sobre a "Prática Diária", mas fiz uma lista com mais dez cursos em que talvez eu possa dar aula. Foi difícil! Eu nem sabia se tinha conhecimento suficiente sobre dez assuntos diferentes a ponto de poder ensinar. Ainda não sei. Mas fiz a lista. Minha mente suou feito um porco. Sabe o que fiz imediatamente depois disso? Adormeci.

Isso depois de dormir umas dez horas na noite anterior. Dormir é divertido. Eu amo dormir. Era sábado, 1 da manhã. Tirei uma soneca de meia hora. Minha mente estava cansada. Aí acordei e escrevi este texto. Arranje dez ideias por dia.

O CORPO ESPIRITUAL. A maioria das pessoas fica obcecada por arrependimentos do passado ou ansiosa em relação ao futuro. Chamo isso de "viagem no tempo". O passado e o futuro não existem. São memórias e especulações, e nada disso você consegue controlar. Não precisa viajar mais no tempo. Pode viver agora mesmo.

Quando passeio por Nova York, tenho a impressão de que todos têm olhos vidrados. Estão passeando no passado e no futuro. Viajando no tempo. Tento sempre este exercício: olhar para os telhados dos prédios. Encontrar um pouco de arte no meio da cidade é uma boa técnica para me manter no presente, enquanto todos estão em uma máquina do tempo.

Tenho preocupações com dinheiro. Tenho medo de relacionamentos. Insegurança. Será que vão gostar de mim, me odiar? Será que vou quebrar um dia? Será que a Claudia vai me largar, como tantas outras já fizeram? Todos os medos do passado, todas as preocupações do futuro. Tenho arrependimentos. Se tivesse sido um pai melhor... Se tivesse sido um filho melhor... Se não tivesse perdido todo aquele dinheiro, poderia ter salvado vidas... Se, se, se. E nada disso existe. É a minha mente fingindo que existe.

Eu desisto. Não consigo controlar o passado, nem o futuro. São vazios, como eu. Tudo o que resta é o agora. Pronto.

Quando você se rende e aceita a linda quietude à sua volta; quando desiste de todos os pensamentos do passado, das preocupações e ansiedades do futuro; quando você se cerca de pessoas igualmente positivas; quando você domina a sua mente e se mantém saudável, a chance de se esgotar é zero.

Como se render? Acreditando que você se preparou para isso. Que fez tudo o que podia. Tudo que estava a seu alcance, sob seu controle. Agora, desencana dos resultados. A coisa certa vai acontecer.

Essa é a ÚNICA forma que consegui para acender o fogo e evitar a exaustão. Pense em tudo aquilo que nos preocupa. Em quase 100 por cento das vezes, quando olhamos para trás, para um medo específico, percebemos como foi inútil se preocupar.

Isso não significa que você nunca ficará de mau humor. Claro que sim! É disso que o corpo e a mente vivem: do ir e vir entre bom e mau humor. O truque é reconhecer o mau humor, dizer "estou de mau humor" e esperar passar. Daí, é possível curtir de novo as coisas, voltar a tomar decisões e fazer escolhas, mas apenas quando se está de bom humor – um humor que esteja no presente, e não viajando no tempo.

Dedicar-se à Prática Diária ajuda a incrementar a nossa vida e a trazer melhorias, mesmo que você perceba apenas pequenas melhoras, uma por vez. No fim do dia, elas se acumulam. A todo momento elas se acumulam. A cada instante, elas jogam fora o lixo extra que você carrega em todos os níves, o lixo que pesa, o lixo externo que eventualmente pega fogo e consome você de fora para dentro.

Por outro lado, acender o fogo de dentro para fora produz uma luz tão ardente que não pode ser exaurida. Você iluminará a galáxia. Vai trazer brilho para a vida de todos à sua volta. Vai se tornar um feixe de luz que atrai riqueza, em vez de ser uma chama trêmula que vai, um dia, ser sufocada.

A Prática Diária Simples (ou Por que tantas pessoas querem morrer)

Muitas pessoas querem morrer. E eu não as culpo. A coisa mais horrível da vida não é morrer. É nascer. Depois que você nasce, já era. Precisa, de fato, sobreviver. Tem que passar de alguém que faz cocô nas calças, que não consegue falar com ninguém sem chorar, que não consegue andar ou se alimentar sozinho para um adulto que mal consegue fazer tudo isso e ainda por cima tem que fazer malabarismos com financiamento, casamento, filhos, carreira, sei lá mais o quê, e finalmente para um velho que de novo não consegue fazer as mesmas coisas que um bebê. Aí você morre. Depois disso tá tudo bem.

Como sei que muitas pessoas querem morrer? Por causa do Google. A frase de busca que mais leva pessoas a meu blog é "Eu quero morrer". A segunda é "Eu queria morrer". Terceira: "Como desaparecer?", que é um pouco melhor do que querer morrer, mas expressa um sentimento parecido (é como perguntar "Como posso matar a vida que eu tenho e começar outra?"). Minha caixa de e-mails é um pouco mais animadora. A pergunta que mais recebo por e-mail é: "Eu estou empacado. Como progredir na vida?"

Essas pessoas não chegaram ainda no ponto de querer morrer, mas de alguma forma acreditam que a vida delas esteja empacada. E está empacada porque o eixo do mundo mudou. Não podemos mais confiar em trabalho, casamento, relacionamento, casa com piscina, diploma da faculdade, enfim, em nada que venha de fora. Nada disso vale alguma coisa. Tudo aquilo com que sonhamos era uma ilusão.

É aí que as pessoas se veem no chão, sem "uma vida", como dizem. Obviamente elas têm uma vida. Elas respiram. Mas não sabem escolher uma vida para elas mesmas. O povo, a massa, confia nos outros para fazerem isso por ela. Desistiram de viver uma Vida, com letra maiúscula, para viver uma "vida" minúscula, governada por outros. Disso eu entendo. Aconteceu comigo inúmeras vezes.

Mas a confiança nos outros chegou ao fim. Foi sempre um mito. Tudo aquilo que almejávamos. A sociedade que nos disseram que estaria aqui, esperando por nós, foi embora, para nunca mais voltar. Você pode tomar a pílula azul (ficar deprimido com uma realidade artificial que não vai mais voltar) ou a pílula vermelha (entrar de vez na Era do Escolha Você e aproveitar as oportunidades).

E não é que o nosso chefe vai ajudar. Ele nos odeia. Não importa que ele seja legal, na verdade ele odeia você. O líder de um grande grupo de mídia me chamou para um café da manhã há alguns meses. Ele queria um conselho sobre como aumentar o tráfego no site da empresa. Quando eu digo "um grande grupo de mídia", realmente quero dizer GRANDE. Do tipo que publica o jornal que todo mundo lê todos os dias.

A conversa começou com o que ele achava que seria um papo quebra-gelo. "Estou tendo problemas com os repórteres. Todos eles possuem contas no Twitter, e os que têm muitos seguidores do nada querem aumentos e promoções". "Por que isso é um problema?", perguntei. "Você não quer que seus repórteres sejam muito admirados e respeitados?" Ele deu a típica resposta cretina: "Nosso negócio é notícia. Ninguém é estrela".

Esse é o problema. Uma corporação quer eliminar as identidades. Ele queria que seu melhor e mais brilhante repórter fosse medíocre, para que a corporação, e não os indivíduos dentro dela, brilhasse. O que vai acontecer é que a empresa dele vai perder, e todas suas "estrelas" vão virar supernovas sozinhas.

Por que enfatizo tanto a Prática Diária? É uma religião, ou algo assim? Não, enfatizo isso porque é a única coisa que funcionou para mim. Seguir essa prática é a única coisa que me "desempacou", me tirou do chão, salvou minha vida e que de fato me levou ao sucesso.

E desde que comecei a escrever sobre a Prática Diária, vi seu efeito em milhares de outras pessoas, que me mandam e-mails sobre isso. Reuni esses testemunhos, alguns dos quais você encontra no final deste livro. Não são tweets ou e-mails que recebi ao longo de um ano. São tweets e e-mails que recebi só na última hora, enquanto escrevo este texto.

Não estou vendendo nada (bom, só este livro aqui nas suas mãos). Na verdade, encorajo as pessoas a não acreditar em mim. Pessoas empacadas, frustradas, sobressaltadas, ansiosas, cheias de arrependimentos: por favor, experimentem estas ideias e comprovem por vocês mesmos.

É assim que formamos uma sociedade melhor. Começamos por nos tornar indivíduos melhores. Você não consegue ajudar ninguém se, ao se olhar no espelho, odiar o que vê. E é muito fácil odiar o que vê. Passamos a maior parte da vida odiando o espelho. Cara, eu sou um pavor de se olhar pela manhã. É um desafio diário!

Fala-se muito que "a Prática Diária é muito trabalhosa, não consigo fazer todo dia". Tudo bem. Deixa primeiro eu definir a "Prática Diária Simples", e depois disso passamos a maiores sutilezas.

Qual é a necessidade de uma prática diária simplificada?

Assisti a uma palestra do meu amigo Ramit Sethi, que escreveu o best-seller *I Will Teach You to Be Rich* [Vou ensinar você a ficar rico]. Ramit e eu já vimos as palestras um do outro várias vezes, e fizemos alguns vídeos juntos. Ele estuda as finanças pessoais sob o ponto de vista da psicologia behaviorista, e eu acho incrível. Não é simplesmente "poupe 1.000 dólares por mês e você será rico." Na verdade, ele fez uma pesquisa com autores de finanças pessoais que recomendam manter uma poupança e descobriu que nenhum deles de fato tinha uma poupança.

Na palestra ele abordou um assunto muito presente no meu cotidiano. Claudia, minha esposa, estava tentando me convencer a usar fio dental. Eu fico com preguiça, faço alguns dias, mas me canso de ficar cavucando todos aqueles espacinhos no meio dos dentes. Tipo, leva meia hora, então depois de um tempo eu paro, e aí depois de alguns dias eu desisto. Quando Ramit começou a falar sobre fio dental, vi as orelhas de Claudia praticamente ficarem de pé.

Ele disse que a maneira de convencer as pessoas a usar fio dental é pedir para que passem em apenas um dente. É isso. De repente, todas começam a usar fio dental. O cérebro diz, "eu sou do tipo que gosta de passar fio dental". Depois de um ou dois dias, elas começam a limpar dois dentes. "E por que parar por aí?", disse Ramit. "Após algumas semanas, elas passam a usar fio dental em todos os dentes, porque o cérebro percebe que nem é um hábito tão difícil assim."

É a mesma coisa com a Prática Diária Simples. Para sair do chão, você só precisa reconhecer que não é a sua vida externa que precisa mudar (pois você tem pouco controle sobre isso), que mudanças externas vêm de dentro.

Mudanças externas são as últimas ondulações de um oceano que alcança costas distantes. Uma promoção, um aumento, uma oferta de emprego, um novo relacionamento. Essas são ondas finais. O oceano está dentro de você. Tomar conhecimento dessa presença infinita não requer cinquenta anos de meditação em uma caverna. Depende apenas de saúde. Não só de saúde física, como também emocional, mental e espiritual.

Por enquanto, a Prática Diária Simples significar fazer UMA coisa por dia. Tente fazer qualquer uma destas coisas todo dia:

A) Durma oito horas.
B) Faça duas refeições, em vez de três.
C) Não assista TV.
D) Não coma porcaria.
E) Não reclame de nada durante um dia inteiro.
F) Não fofoque.
G) Responda a um e-mail de cinco anos atrás.
H) Demonstre gratidão a um amigo.
I) Assista a um filme engraçado ou a um espetáculo de comédia stand-up.
J) Escreva uma lista de ideias. Pode ser sobre qualquer coisa.
K) Leia um texto espiritualizado. Qualquer texto que traga inspiração. A Bíblia, o Tao te Ching, qualquer um.
L) Ao acordar, diga para si mesmo: "Hoje eu vou salvar uma vida". Fique de olhos abertos para a vida que você pode salvar.
M) Encontre um passatempo. Não diga que você não tem tempo. Aprenda piano, ou xadrez. Faça comédia stand-up. Escreva um livro. Faça algo que tire você do ritmo normal.
N) Escreva a lista das coisas que você faz igual todos os dias. Risque um item e não faça isso nunca mais.
O) Surpreenda alguém.
P) Pense em dez pessoas às quais você seja grato.
Q) Perdoe alguém. Não precisa nem falar para a pessoa, apenas escreva em um pedaço de papel e queime-o. Tem o mesmo efeito de liberar oxitocina que perdoar pessoalmente de fato.
R) Use a escada no lugar do elevador.
S) Esta roubei do famoso livro de psicologia dos anos 1970, *Não diga sim quando quer dizer não*. Quando estiver pensando naquela pessoa especial que está deixando você triste, pense

calmamente "Não". Se pensar de novo nele e/ou nela, pense alto "Não!" De novo? Fale baixinho "Não". De novo, diga em voz alta. Mais alto. Grite. Berre. Mais alto. E por aí vai.

T) Diga a alguém que o(a) ama.
U) Não transe com alguém que você não ame.
V) Tome banho. Se esfregue bem. Limpe seu corpo das toxinas.
W) Leia um capítulo da biografia de alguém inspirador.
X) Planeje passar um tempo com um amigo.
Y) Se você pensar "Seria melhor se eu estivesse morto", pense em seguida "Bacana. Agora posso fazer o que quiser e adiar esse pensamento por um tempo, talvez até para daqui a uns meses". Por que, afinal, que diferença faz agora? De repente o planeta nem estará aqui daqui a uns meses. Quem sabe o que essas tempestades solares podem fazer?
Z) Respire fundo. Quando o nervo vago está inflamado, sua respiração fica superficial e acelera. É hora de sair correndo! Você está em pânico. Pare! Respire fundo. Deixa eu contar uma coisa: todo mundo acha que "yoga" é um monte de exercícios para as pessoas ficarem de cabeça para baixo e fazerem poses bizarras. O *Yoga Sutra*, escrito em 300 a. C., é composto por 196 linhas, divididas em quatro capítulos. De todas essas linhas, APENAS TRÊS se referem a exercício físico. E basicamente é algo como "sente-se reto". É isso. É a única referência a exercício físico no *Yoga Sutra*. A Claudia sempre me diz que os yogis medem a vida em respirações, não anos. Respirar profundamente é o que mantém essas respirações em ordem.

Em todo caso, não são conselhos para as mais de 100.000 pessoas que, no último ano, digitaram "Eu quero morrer" no Google e acabaram no meu blog. Algumas delas realmente precisam da ajuda de um terapeuta ou de um médico.

Mas foi isso que eu fiz quando quis morrer. Cada uma dessas coisas. Pelo menos uma por dia. E aqui estou. Ainda estou vivo.

E se eu estiver em crise?

Antes de começar com as histórias no resto do livro, temos que lidar com a situação que ocorre quando estamos de fato arrasados e não parece haver solução. Não conseguimos fazer a Prática Diária nem nosso "item diário" se nem conseguimos nos levantar.

Às vezes, passar fio dental em apenas um dente não é o suficiente para começar. Às vezes estamos agonizando, a ponto de perder todos os dentes, e não queremos dentaduras. O fio dental terá que esperar.

Já estive nessa situação. E não é força de expressão, não, estou realmente falando dos meus dentes, que estavam em um estado tão ruim que iam cair. Mas também estou falando de quando a vida nos atropela com muita força, muito rápido (ok, agora é força de expressão).

Às vezes, só sair da cama é suficiente. Ficar feliz com a riqueza que já existe na vida. E riqueza é uma coisa engraçada. Olhe à sua volta agora e liste o que está em abundância. Se você está debaixo de uma tempestade, há fartura de água. Pense em tudo aquilo que a água ajuda a germinar. Se você está preso no trânsito, há excesso de carros. Pense na conquista que esses carros representam na nossa curta história neste planeta. Vire o desespero de cabeça para baixo. Transforme cada obstáculo em um momento de reflexão sobre as recompensas da sua vida.

Recebi recentemente o seguinte e-mail:

> "Então... Estou morrendo de fome aos poucos, 90 dólares negativo na conta, o aluguel vence em oito dias, e não tenho como pagar. Montei duas empresas de mídia que fracassaram miseravelmente e ninguém quer me contratar. O que devo fazer?"

Minha resposta:

> "Que bosta. Sério mesmo. Já estive nessa situação. E nem faz tanto tempo assim. É uma bosta mesmo. Desculpe a linguagem. Você não usou palavrão no seu e-mail, então peço desculpas.
>
> Se eu contar o que funcionou para mim, você tentaria? Mesmo se não funcionar (você não vai pagar o aluguel em oito dias. Esse barco provavelmente já afundou, mas nunca se sabe).
>
> O que eu vou dizer vai soar muito brega. Porque você está em um estado mental de alerta total. Se algo diz 'Pega leve', seu corpo e sua mente vão querer rejeitá-lo.

1. Você pode ligar hoje para alguém só para agradecer. Porque essa é a riqueza na sua vida. Você já tem idade o suficiente para, o que quer que tenha acontecido no passado, haver pessoas por quem você sinta gratidão. Ligue para elas, por favor. Parentes, amigos, ex-clientes, ex-amores. Qualquer pessoa. E diga que você é grato a elas. Conte a elas o que você aprendeu com elas. Diga por que você as ama.

2. Você é muito sortudo. Você tem tempo de sobra. Que tal passar uma tarde fazendo trabalho voluntário? Você provavelmente está passando tempo para caramba pensando em si mesmo. Por uma tarde apenas, faça trabalho voluntário em algum lugar. Isso também é riqueza. Você tem duas mãos, dois pés e um cérebro. Pessoas que possuem menos precisam da sua ajuda.

3. Vá ver um médico. Sei que você não está doente. Mas é provável que não esteja dormindo. Você precisa dormir. Dez horas por dia. Talvez nove. Mas não menos que nove. Dormir traz tantos benefícios, dá um Google para ver. Adoro o fato de não ter que listar mais todos os benefícios. Tá tudo ali naquela COISA, no Google. Os médicos ajudam você a dormir. Existem várias pílulas que funcionam. Não vire um viciado, apenas tome até a crise passar. Bom, não sou um médico. O médico vai explicar. Pede Rivotril para ele, vê o que ele vai responder. Mas não se esqueça: VOCÊ NÃO ESTÁ DEPRIMIDO. É perfeitamente normal ficar triste nessa situação. Mas você está ansioso. Então uma pílula contra a ansiedade vai ajudar você a dormir.

4. Você tem que fazer exercícios. Nem que seja uma caminhada. Vinte minutos de exercício por dia. Por quê? Não faço a mínima ideia. Mas funciona. Afff, isso me lembra de quando estava preocupado com as contas do aluguel, do divórcio, das namoradas, além das minhas próprias contas, e eu não tinha de onde tirar, e eu fazia exercício e me sentia um merda. Mas você tem que fazer. Seu corpo

está sendo atacado, o que desencadeia uma sensação de pânico. E você tem que eliminá-la de alguma forma. Faça exercício, coma bem e durma. Senão, seu corpo será o prejudicado, e aí você vai se sentir pior ainda.

Te dei um monte de coisas para fazer. Difícil. Afinal, quem precisa de mais coisa para fazer? Então, troque algumas das antigas coisas por essas novas coisas. Sem jornal. Sem TV. Sem comer porcaria. Sem jantar, se conseguir. (Almoce tarde e tome café da manhã tarde também. Qual o problema? Você não está trabalhando...)

Eu até diria para você se livrar das preocupações, mas isso é muito difícil. O que eu posso sugerir é: sempre que você estiver mal, substitua suas preocupações por pensamentos de riqueza. Às vezes funciona. Mas é bem difícil de fazer, e a maioria das pessoas acha brega.

Ainda assim, faça as coisas da minha lista, por favor. São todas igualmente importantes. Você pode não se dar conta ainda, mas se você fizer isso, as coisas vão melhorar. Por favor me escreva de novo daqui a oito dias e me conte o que aconteceu. Mas não deixe de fazer as coisas da minha lista."

Oito dias depois ele me respondeu:

"Valeu! E adivinha? Paguei o aluguel. Ainda estou vivo."

Pronto. Não pedi mais detalhes. Às vezes, algumas medidas de emergência são necessárias. Mas depois você tem que voltar a viver. Tem que retomar os passos básicos de sobrevivência. Vejamos alguns exemplos.

Escolha você para viver

Kamal Ravikant desapareceu. Conversávamos pela internet havia mais de um ano, desde que comecei meu blog. Agradeço muito pelos amigos que conheci através do blog. Eles são um ganho totalmente inesperado, mas muito valorizado, que recebi através da escrita.

Após centenas de e-mails trocados durante o ano anterior, eu ia finalmente visitar São Francisco e estava me programando para conhecer Kamal. Mas ele não apareceu no café da manhã que marcamos.

Seu irmão, Naval, ligou para ele algumas vezes. "Ele está em casa", disse Naval, "mas não está atendendo. A doença deve estar pesando demais hoje". Naval tinha um GPS programado para dizer exatamente onde Kamal estava.

Kamal estava muito doente, e piorando. Havia meses. Tinha dias em que ele não conseguia se mexer, ou acordar. Em outros, ele tinha energia suficiente para sair de casa por alguns minutos, depois voltava para dentro. A doença de Kamal era crônica. Os médicos não podiam ajudá-lo; ele andava incrivelmente cansado, febril, com dor, e só piorava.

Eu sabia, pela nossa correspondência, que Kamal tinha passado maus bocados antes da doença. Sua empresa, que no passado havia gerado uma quantidade substancial de dinheiro, estava cambaleando, talvez falisse. Ele tinha acabado de sair de um relacionamento. Um amigo próximo tinha morrido.

Muitas vezes, quando atrelamos nossa felicidade a objetivos externos, como sucesso financeiro, relacionamentos estáveis etc., acabamos nos decepcionando. Mesmo quando as coisas dão certo, é apenas um ciclo, e a felicidade é efêmera.

Quando esses objetivos falham, a dor externa se reflete imediatamente no nosso corpo interior. Nossas emoções falham, nos sentimos tristes, decepcionados, com dor. A gente se agarra à felicidade que já passou ou a metas que agora têm que mudar. A sensação é de que alguém arrancou seus braços do corpo.

Mas Kamal estava tentando segurar a onda e ser justo com todos ligados à sua empresa – funcionários, investidores e clientes. Ele estava se apegando ao passado, dependendo do futuro. Apegando-se a tudo e a todos, menos à sua própria felicidade no presente.

Seu corpo emocional não aguentava mais. Suas pernas e seus braços emocionais tinham sido arrancados. Foi então que o corpo físico dele cedeu. Perda total. Eu tinha percebido que ele deixara de manter contato uns meses antes, e fazia um tempo que eu não via mais seus comentários no blog. "O que tá acontecendo?", escrevi. "Estou doente", ele respondeu. E caiu fora.

Ele ficou meses fora do ar. Então voltou a escrever de novo e me contou o que estava acontecendo. Voltou a comentar no blog e a interagir com a comunidade maravilhosa que está se desenvolvendo lá. Estava vivo de novo, e finalmente nos encontramos.

"Como você melhorou?", perguntei. "O que aconteceu?" "Vou contar o segredo", ele disse. "Achava que eu ia morrer. Só ficava deitado na cama, não conseguia me mexer, tinha febre alta e muita dor. Eu realmente achava que ia morrer. Finalmente, comecei a repetir para mim mesmo: 'eu me amo'."

Kamal escreveu sobre sua experiência no livro *Love yourself like your life depends on it* [Ame a si mesmo como se sua vida dependesse disso]:

> Foi então que melhorei. Meu corpo foi se curando mais rapidamente. Minha mente ficou mais leve. Mas o que nunca imaginei, ou esperei, era que a vida melhorasse. Não apenas melhorou, coisas muito além do meu alcance aconteceram. Nunca nem havia sonhado com isso [...] eu me peguei usando a palavra "magia" para descrever o que estava acontecendo. E sempre continuei repetindo para mim mesmo "Eu me amo. Eu me amo. Eu me amo".

Nesse livro, Kamal descreve a transição da doença para a saúde e outros eventos mágicos pelos quais passou. Ele também passa uma série de técnicas e exercícios para você colocar em prática. E, por fim, responde à terrível pergunta: "O que acontece se você não se amar? Ainda dá para recuperar a magia na sua vida?"

"Olha só", começou ele, meses depois, quando nos encontramos em Nova York. "Quando alguém está apaixonado, melhora de aparência como se fosse mágica. Eu precisava me apaixonar por mim mesmo para me sentir melhor. Havia tanta coisa pesada sobre meus ombros que entrei em colapso. Precisava amar a mim mesmo. Virou o meu mantra."

Alguém me explicou outro dia que, em sânscrito, a palavra "*mantra*" possui duas partes: "man", meditação fervorosa, e "tra", proteger. Ao repetir "eu me amo" várias vezes, Kamal estava protegendo seu pensamento, alimentando-o, e esse amor estava alimentando o resto de seu corpo, suas emoções, sua mente e seu espírito.

Kamal se recuperou totalmente. Ele também resolveu o impasse no trabalho e, quando o encontrei em Nova York, era como se tivessem tirado um peso enorme das costas dele.

Como ele publicou um livro? Ele não esperou que uma editora o escolhesse, que um editor dissesse "tem que ter duzentas páginas". Ele não esperou que um especialista em marketing colocasse os livros em algumas livrarias, onde ficariam acumulando pó. Da mesma forma que escolheu VIVER (criando a sua própria Prática Diária), ele escolheu escrever, e até hoje continua escolhendo o sucesso. O livro virou um best-seller. E ele fez tudo sozinho. Assim como Tucker Max. Assim como eu fiz, com a primeira versão deste livro. Assim como você também pode fazer.

COMO AUTOPUBLICAR UM LIVRO?

Existem alguns caminhos na jornada da autopublicação; este é o caminho que Kamal e eu escolhemos.

1. **Escrevemos o livro.** Kamal escreveu o dele em algumas semanas e chegou a quarenta páginas. Nos meus dois últimos livros, separei umas postagens do blog, reescrevi parte delas, acrescentei material inédito e novos capítulos e criei um fio condutor para dar aos livros um conceito, uma direção. Não importa onde você consiga suas ideias ou como você as escreva, simplesmente escreva. Dito isso, você provavelmente já tem por onde começar.

2. **Usamos o CreateSpace.** Kamal e eu usamos essa ferramenta porque ela pertence à Amazon – onde venderíamos os livros – e o atendimento ao consumidor é excelente. Você pode escolher o tamanho do livro e depois baixar templates do Microsoft Word para formatá-lo. Kamal também fez isso.

Eu publiquei meu primeiro livro sozinho. Para o meu segundo livro, porém, por um pequeno valor, contratei alguém para formatar o livro, criar o design e o arquivo final em PDF, cujo upload no site eu mesmo fiz. Ele também fez a revisão gramatical, deu sugestões proativas em relação à tipografia (sem serifa em vez de com serifa) e foi de modo geral muito prestativo.

3. **Fizemos o upload do PDF.** O CreateSpace aprova o arquivo, atribui um ISBN ao livro e te manda uma prova, para validar.

4. **Vendemos o livro.** Depois de alguns dias, a obra está disponível na Amazon. Pode ser impressa sob demanda. O custo total até agora foi quase zero. (Fora o que se gastou para fazer a capa).

5. **Fizemos a versão Kindle.** Tudo o que foi dito acima (desde o CreateSpace) é de graça. Um amigo do Kamal fez a capa dele como favor. Se eu não tivesse contratado alguém para fazer a minha, poderia ter usado uma das milhões de opções do CreateSpace (foi o que fiz no meu primeiro livro) e toda a produção editorial do livro físico teria saído de graça. Mas, no caso do Kindle, o CreateSpace cobra 70 dólares para fazer tudo até o material ficar disponível na loja virtual. Aí então seu livro estará disponível em edições de papel *e* no Kindle.

6. **Cuidamos do marketing e da divulgação.** Sem editora, você passa a ser responsável pelo marketing e pela divulgação. É assustador a princípio, mas a autopublicação é, na essência, empreendedorismo criativo, e empreendedores não podem usar a desculpa de que "não tenho tempo, estou cuidando dos negócios". Empreender é o negócio. Empreendedores arranjam tempo. Assim como o próprio processo de produção, o marketing e a divulgação podem ter formas diferentes, dependendo do seu objetivo, então vou falar do que Kamal e eu fizemos.

Kamal acionou todos os seus contatos. Pediu a vários de seus amigos (inclusive eu) para escrever sobre o livro em blogs. O escritor best-seller Tim Ferris soltou um tweet dizendo que o livro do Kamal tinha tirado ele de uma pior. Da noite para o dia, o livro entrou na lista de mais vendidos, e um ano depois continua vendendo muito.

Eu fiz um monte de coisas diferentes:

A) Dei os primeiros vinte exemplares para leitores do meu blog que me pediram o livro. Muitos deles escreveram resenhas favoráveis na Amazon e deram o pontapé inicial.
B) Distribuía livros quando ia dar palestras e falar em público.
C) Escrevi um post sobre como o livro é diferente do blog e por que escolhi o caminho da autopublicação.
D) Contribuí com blogs como o TechCrunch, que me ajudou imensamente e ao qual sou muito grato.
E) Usei as redes sociais: Twitter, Facebook, LinkedIn, Google+, Quora e Pinterest.

Se você tem uma história para contar ou um serviço para oferecer (não importa qual), ame-se o suficiente para fazer a escolha certa. Tome as rédeas do seu trabalho, da sua vida, da sua arte. As ferramentas estão aí. E também estão dentro de você.

Para fechar, uma citação do excelente livro do Kamal:

> Se lhe ocorrer uma lembrança dolorosa, não resista nem tente afastá-la – é como areia movediça. A luta reforça a dor. Em vez disso, procure o amor. Amor por si mesmo. Sinta-o. Se tiver que fingir, tudo bem. Mais cedo ou mais tarde, você vai sentir de verdade. Sinta o seu amor para si mesmo enquanto a lembrança se esvai e flui. Isso enfraquece essa lembrança e, mais importante, vai mudar as conexões dessa lembrança. Faça isso várias vezes. Amor. Reconexão. Amor. Reconexão. Está tudo dentro da sua cabeça. Você pode fazer o que quiser. [...] Os resultados valem a pena. É o que eu desejo para você.

Encontrando o seu objetivo na vida

Quando eu tinha 12 anos, eu tinha um propósito na vida – fora querer que a menina do grupo de arte do acampamento gostasse de mim. Eu queria ser coronel. E não qualquer coronel; eu queria ser um coronel honorário da Milícia do Estado de Kentucky. Como meu herói, o Coronel Sanders. Eu teria que começar por baixo – Kentucky era o estado mais glamuroso para ser um coronel. Comecei então por Mississippi. Entrevistei o governador de lá, Cliff Finch, pois, por algum motivo que ainda não entendi, ele estava se candidatando a presidente nas eleições primárias contra outro governador do Sul, o candidato a reeleição Jimmy Carter.

Cliff Finch me convidou para visitar o Mississipi. Minha passagem foi metade paga pela verba de campanha dele e metade pelo meu pai, deu uns 60 dólares para cada um. Foi a primeira vez que andei de avião, e estava com medo. Quando aterrissamos, tudo parecia igual, mas as pessoas falavam de um jeito diferente. Era uma sensação estranha, como se eu tivesse aterrissado em um universo paralelo. O que mais me lembro daquela viagem é de receber o certificado de coronel honorário do estado (é melhor eu ser recebido com uma saudação de 18 tiros de carabina na próxima vez que eu for para lá!), de explicar para o governador Finch como ganhar o "voto dos jovens" e de um monte de gente me perguntando como era ser judeu.

Depois escrevi ao governador do Alabama, disse que minha família estava se mudando para lá, que eu tinha lido tudo sobre o Alabama, que amava o estado e que queria então ser coronel lá. O governador me mandou um certificado enorme: James Altucher era agora tenente-coronel da Milícia do Estado do Alabama. No Texas, virei cidadão honorário. Na Carolina do Norte me tornei um "calcanhar de piche" [apelido dado aos nascidos nesse estado] honorário. Mas em Kentucky eu não conseguia burlar o sistema. Eles sabiam que o título de coronel de lá era muito valioso. Eles precisavam de referências, antecedentes etc. Eu tinha 12 anos e decidi, pela primeira de muitas vezes, desistir enquanto ainda estava ganhando. Mas, claro, se alguém quiser me chamar de "Coronel" (Mississippi), tô de boa com isso.

O que me traz a um assunto importante. Provavelmente a pessoa mais importante da história de Kentucky é Harland Sanders, o cara, o coronel, o "inventor" do Kentucky Fried Chicken, uma das mais bem-sucedidas operações de franquia do mundo. O frango frito extracrocante deles ainda deve ser uma das melhoras comidas do mundo. Você pode até passar mal depois, mas quem se importa? Buda disse para vivermos o agora!

Muita gente diz: "Estou com 25 anos e ainda não tenho ideia de qual é meu propósito na vida." Quando Coronel Sanders tinha 25 anos, ele ainda não tinha sido bombeiro, motorista de bonde, fazendeiro, operador de barco a vapor e, finalmente, dono de um posto de gasolina, onde ele vendia frango. O frango era excelente e as pessoas amavam, mas ele só começou a ganhar dinheiro de verdade quando começou a franquear a rede, aos 65 anos. Foi nessa idade que ele encontrou o seu "objetivo" na vida.

Eu não gosto da palavra *objetivo*. Ela sugere que, em algum momento no futuro, vou encontrar algo que me deixe feliz, mas que até lá serei infeliz. As pessoas se enganam ao pensar que com a moeda da infelicidade dá para comprar felicidade. Que temos que "pagar nossas dívidas", pegar uma carona qualquer e desembarcar em um lugar grande chamado "objetivo", onde poderemos então ser felizes. Não funciona assim.

Você pode ter as ferramentas para ser feliz agora. Ainda não sei qual é o meu objetivo na vida. Talvez nunca saiba. Isso me deixa muito feliz. Talvez eu me lance em muitas aventuras entre hoje e o dia em que eu morrer. Talvez faça um monte de coisas diferentes. E se não for o caso, se eu morrer amanhã, tudo bem também. Que diferença faz o objetivo quando se está morto? Melhor ser feliz agora.

Outras pessoas encontraram o sucesso após mudar de carreira muitas vezes. Rodney Dangerfield não se deu bem na comédia antes dos 40 anos. Um dos caras mais engraçados de todos os tempos era vendedor de cercas de alumínio. Depois teve que abrir seu próprio clube, o Dangerfield's, para poder se apresentar como comediante. Ele escolheu seu próprio sucesso! Mas não antes dos 40 anos.

Ray Kroc foi vendedor de milk-shakes até os 50 anos. Um dia deu de cara com um restaurante limpinho, que servia bons hambúrgueres e pertencia a dois irmãos com o sobrenome McDonald. Ele comprou o McDonald's quando tinha 52 anos.

Henry Miller escreveu seu primeiro grande romance, *Trópico de Câncer*, aos 40 anos.

Raymond Chandler, o autor de maior sucesso do gênero noir, escreveu seu primeiro romance aos 52 anos. E ele era novo se comparado a Frank McCourt, que ganhou o Pulitzer por seu primeiro livro, *As cinzas de Ângela*, escrito quando ele estava com 66 anos. E, claro, Julia Child tinha apenas 50 anos quando escreveu seu primeiro livro de receitas.

Um dos meus autores preferidos, Stan Lee, inventou todo o universo pelo qual é conhecido, a editora Marvel, quando tinha 44 anos, criando o Homem-Aranha, o Quarteto Fantástico, os Vingadores e muitos outros personagens.

Para aqueles que não gostam de matar os outros, mas mesmo assim precisam de algo para imobilizá-los, considerem a arma de eletrochoque Taser, inventada por Jack Cover quando ele tinha 50 anos. Ele não vendeu nenhuma antes dos seus 60 anos.

Gosta de restaurantes? Já deve ter lido o guia *Zagat*, de Tim Zagat, que largou o emprego como advogado para criar o livro que traz avaliações de restaurantes quando tinha 51 anos.

Harry Bernstein era um fracasso total quando escreveu seu livro de memórias, *The Invisible Wall* [A parede invisível]. Seus primeiros quarenta (quarenta!) livros foram rejeitados pelas editoras. Quando seu livro de memórias foi lançado, ele tinha 93 anos. Ele disse: "Se eu não tivesse vivido até os 90, não teria conseguido escrever este livro. Sabe-se lá quais potenciais estão escondidos nas outras pessoas, quem dera pudéssemos mantê-las vivas bem além dos 90".

Peter Roget era um médico medíocre que foi forçado a se aposentar quando completou 70 anos. Foi então que ele ficou obcecado por palavras com significado similares. Seu "objetivo" na vida era ser médico ou apenas ser um cara que sabia brincar com as palavras? Ele ficou conhecido como médico ou como o autor do *Roget's Thesaurus* [um dos principais dicionários de sinônimos da língua inglesa], escrito quando tinha 73 anos?

Durante a faculdade, eu comi miojo todos os dias durante um ano. Um dia, em uma quitanda, uma mulher tentou me dizer que isso era a pior coisa que eu podia comer. Sério? Tipo, pior que comer um tijolo? Eu tinha 19 anos. Agora tenho 45. Não me prejudicou tanto assim ter comido tanto miojo durante um ano inteiro. Era a única coisa que eu conseguia pagar. Custava 25 centavos e tinha uns pedaços de cenoura dentro, então ótimo. Já o inventor do miojo, ele foi inventá-lo quando tinha 48 anos. Deus lhe pague!

Charles Darwin era meio "diferente", de acordo com a maioria dos padrões. Ele gostava de coletar plantas e borboletas em ilhas remotas do Pacífico. Ele escreveu *A origem das espécies* aos 50 anos.

E a cereja do bolo, Henry Ford. Seu primeiro carro, o modelo T, que ele inventou aos 45 anos, foi um fracasso. Ele não conhecia ainda os recursos de produtividade da linha de montagem. Ele as desenvolveu aos 60 anos.

O objetivo não é inspirar você. Talvez você nunca chegue a fazer algo "notável". Não estou nem dizendo que é para aproveitar a jornada, porque algumas são muito penosas. E ninguém está dizendo também que você vai ganhar estrelinhas quando morrer se você escrever um grande livro aos 50 anos. Ou inventar uma excelente receita de frango, ou uma maneira de encher uma fábrica de gente. Já tropecei e caí e levantei e sobrevivi o suficiente para ficar de saco cheio de objetivos e jornadas. Quero eliminar este intermediário, a jornada, o desespero e a aflição que o "objetivo" cria. Esqueça o objetivo. Não tem problema em ser feliz sem um. A busca por um único objetivo arruinou muita gente.

Certa vez, alguém postou no Quora, o site de perguntas e respostas, "Eu me sinto um fracasso aos 27 anos, sem saber o que fazer da vida. O que devo fazer?"

Respondi que, quando eu tinha 27 anos, eu ainda não tinha começado nos negócios nem me apaixonado, escrito um livro, criado um programa de TV, fracassado em vinte empresas seguidas, gerenciado um fundo de ações e outro de capital de risco, nem me tornado um mestre de xadrez (aos 28, no meu caso). Mas, o mais importante, eu ainda não tinha fracassado. Fracassei tanto nos meus 30 anos que praticamente esqueci que era um mestre de xadrez. Enquanto escrevo isso, tenho 45 anos e ainda não sei o que quero ser "quando crescer". Mas estou finalmente conseguindo aceitar que, na verdade, tudo o que eu quero é ser EU MESMO.

Enquanto isso, Harland Sanders cozinhava um frango tão gostoso que, mesmo sem ganhar um centavo com isso (isso só aconteceu quinze anos mais tarde), na juventude dos seus 45 anos, ele ganhou do governador do Kentucky o título de coronel honorário.

Então acho que, aos 45 anos, ainda há esperança para mim.

Como desaparecer sem deixar pistas e nunca ser encontrado

A gente empaca. Fica infeliz. Talvez estejamos em um casamento acabado. Talvez em um trabalho ruim. Talvez você esteja lendo esse livro e pensando: "Bom, isso tudo é legal, mas é muito tarde para mim".

Que pena que você se sente assim. Já estive nessa situação muitas vezes. Às vezes dá vontade de começar do zero, sem responsabilidades, como uma tela em branco na qual você pode pintar ou repintar sua vida. Sei o que é isso, essa sensação foi e voltou nos meus últimos vinte anos. Como disse antes, a terceira frase de busca mais popular que leva pessoas ao meu site jamesaltucher.com é "Estou empacado". Quando nos sentimos presos, queremos uma mudança brusca, que o mundo gire ao contrário e nos leve a um lugar completamente novo. Já tentei isso, mais de uma vez.

Em 1992, pensei em me mudar para um abrigo de sem-tetos, porque achava que garotas que não tinham onde morar fossem gostar mais de mim. Eu tinha essa ideia fantasiosa de como seria morar em um abrigo para sem-tetos. A gente ia escapar à noite, visitar o quarto um do outro, como se fossem dormitórios universitários. Seria romântico. Muitas risadinhas. E crack. Cara, eu fumaria. Por amor.

Eu tinha um emprego e não era bem um desabrigado. Tinha onde morar. Mas a minha namorada na época me odiava e eu estava precisando de uma mudança. Além disso, o abrigo era do lado do trabalho. Eu poderia morar lá, seria uma caminhada de vinte segundos até o escritório. Como a vida pode ser tão maravilhosa? Repito: como a vida pode ser tão maravilhosa?

O diretor do abrigo negou meu pedido de asilo. Eu disse a ele que queria escrever sobre a experiência. Ele foi atrás das minhas referências. Meu chefe – meu chefe DE VERDADE na época – disse que provavelmente eu era um doente mental. Não fiquei naquele emprego por muito mais tempo. Nem me mudei para o abrigo. Eles de fato acharam que eu era demente demais para morar em um abrigo de sem-tetos.

Tudo isso para dizer que existe algo intrínseco em mim que me faz querer desaparecer. Querer viver na que considero ser a pior das condições, querer esquecer o meu passado, me comprometer com um novo futuro sem sentido, pensar apenas no agora e abandonar todo o resto.

As pessoas constroem uma vida e, quando ela se torna insatisfatória, querem trocá-la, como se troca de roupa. Mas não dá para mudar a vida por fora. Todos sabemos disso. Na Era do Escolha Você, só é possível se desvencilhar das geringonças que criam sua identidade exterior e viver uma vida mais livre do que você conseguiria imaginar ao mudar de dentro para fora. Talvez você não consiga viver uma vida "desconectada" (a não ser que você queira morar no meio do mato, aí boa sorte), mas você pode levar uma vida com pequenas surpresas. Cada dia é uma aventura. E toda vez que você se olha no espelho, é uma pessoa nova que está lá.

Quando eu era criança, comprei o livro *How to Disappear Completely and Never Be Found* [Como desaparecer sem deixar pistas e nunca ser encontrado]. Não sei se as técnicas ainda funcionam, mas o plano do autor era:

A) Procure em jornais antigos por notícias de bebês que morreram mais ou menos no dia em que você nasceu. Peça a certidão de nascimento junto às autoridades do seu estado. Isso não é incomum, muita gente perde a certidão. Use-a para conseguir um número de CPF (diga que você era só um estudante e nunca tinha precisado de CPF). Então use os dois para abrir uma conta no banco.
B) Pinte o cabelo. Perca peso. Coloque um calço no sapato para mudar seu jeito de andar. Aos poucos, faça saques da sua conta bancária, até ter tudo em dinheiro. Encontre uma cidade lotada de gente onde você consiga alugar um apartamento barato e desapareça na multidão. Comece a construir sua nova carreira profissional trabalhando como temporário ou na construção civil.
C) Desapareça. Saia de casa e não volte mais. Você acabou de cometer pseudocídio.

A palavra "*pseudocídio*" me fascina. É como uma "pequena morte", expressão normalmente usada para descrever um orgasmo.

O livro tem histórias divertidas de pessoas que desapareceram (como o autor encontrou essas pessoas nunca foi explicado). Pessoas que fugiram de casamentos, da justiça, da Receita Federal, gente que de uma hora para outra precisou passar a borracha ou um corretivo sobre as emoções, os medos e as ansiedades. Passar uma esponja no passado, o que traria um nirvana temporário onde parte da bagagem emocional, senão toda, pudesse ser descartada com a antiga vida. Ser embrulhada em um saco de lixo e abandonada num beco qualquer.

Esse sentimento nunca me abandonou. Quando estou em algum lugar que não conheço direito, olho em volta e imagino se seria possível desaparecer ali. Será que eu seria encontrado? Acabaria cruzando com algum conhecido na rua, ou alguém que me reconhecesse? Ou será que seria engolido pelo caos dali, morando em um abrigo, fazendo bicos no fundo de uma quitanda, brigando em chinês macarrônico em alguma Chinatown decadente?

Pense no sucesso que um seriado de TV como *Mad Men* alcançou. Não é por causa do fascínio pela cultura publicitária dos anos 1960. É pelo recomeço de vida de Don Draper, o personagem principal. Don Draper, claro, tem uma identidade secreta. Um dos melhores episódios já transmitidos na história da televisão chamou-se "The Jet Set" [2ª temporada, episódio 11], no qual ele tinha uma identidade secreta por trás da identidade secreta. Ele simplesmente desapareceu do meio de um lobby de hotel na Califórnia e foi embora com um monte de ricos à toa, cada um com um passado infinitamente vasto e sobre o qual nunca saberemos e dos quais nunca mais ouviremos falar novamente. Quando Draper ressurge dessa nova identidade, ele se vê rico, divorciado e lidando com a questão que aflige a todos nós: quem somos de verdade?

Eu tenho um passado. Há pessoas de quem eu gosto. Outras que eu prefiro evitar. Tenho esperanças. Objetivos e ambições. Tenho rancores. Não importa quanto o estilo que você adote seja minimalista, você ainda estará ligado a tudo isso, para o bem ou para o mal.

E se você pudesse acordar em um lugar novo, sem nenhum passado? Se você pudesse dizer "Sabe de uma coisa? Esses objetivos não valem a pena. Gente demais já morreu escalando essa montanha perigosa dos objetivos"? Quando se é jovem, toda montanha é escalável. Mas quando a idade vai chegando, percebe-se que "Putz, se eu cair agora o tombo é grande".

Desaparecer nas profundezas da periferia, satisfazer apenas suas necessidades básicas, usar a sua aura de mistério para fazer novas amizades e basicamente viver um dia de cada vez poderiam resolver a maioria desses problemas. Mas provavelmente não resolverão. A pergunta é: com a sua nova identidade, você consegue viver como se tivesse desaparecido? Todos nós queremos desentulhar nossa vida. Jogar coisas fora. Mas ter um estilo de vida minimalista é besteira se você não adotá-lo em todos os níveis da Prática Diária: não apenas físico, mas também emocional, mental e espiritual.

Mais importante é jogar fora os rancores do passado que, daqui a mil anos, não significarão nada. Desista de ambições que geram mais transtorno e ansiedade do que merecem. Para desentulhar seu cérebro. Para ser livre. Para experimentar uma "pequena morte" ou "nascer de novo".

Exercício de meditação: visualize-se com uma identidade novinha. Sem ter onde morar. Um errante. Um nômade. Imagine que você tem dinheiro suficiente no banco. Que todas as suas antigas responsabilidades foram resolvidas. Você pode ir para a Índia e viver lá durante vinte anos com quase nada. Ninguém sabe quem você é. Você está novinho em folha. É como se tivesse acordado em um novo corpo. Sem conexão com o passado e sem objetivos para o futuro. Imagine de verdade cada detalhe. Quando faço isso, sinto que um peso grande é tirado das minhas costas. Quero manter essa sensação o dia inteiro. Fala a verdade: como você se sente?

MAS, SÉRIO, POSSO DESAPARECER?

Considerando que você tenha o básico e a liberdade que descrevemos acima, é possível conseguir a liberdade que vem com o desaparecimento?

A resposta é sim. Na verdade, na Era do Escolha Você, não há escolha. Você pode não conseguir viver "fora do sistema" –

estamos além das questões sobre privacidade – porque cada passo seu é monitorado. Mas e daí? Você realmente acha que o governo se importa com você?

O segredo é *ganhar dinheiro* fora do sistema, ganhar dinheiro fora da prisão das corporações, e fora do alcance dos poderes que nos escolhem ou nos rejeitam. Poder trabalhar de qualquer lugar. Na sociedade sem trabalhadores que estamos nos tornando, na qual ideias são moeda de troca e a inovação é mais bem recompensada do que trabalho braçal ou gerencial, você terá a oportunidade de viver a vida que quer.

No meu livro *I Was Blind but Now I See* [Eu estava cego, mas agora enxergo], escrevi sobre como pessoas não precisam mais de uma casa ou de educação formal. Ambas são cabrestos que a sociedade criou para prender você e impedir seu crescimento.

Vamos dar um passo além. Você precisa mesmo pagar aluguel? Você precisa ficar em um lugar só? Talvez sim, se você tiver filhos e eles estiverem na escola pública (apesar de eu recomendar a desescolarização, mas isso fica para outro livro), talvez você tenha que se fixar em um lugar.

Se não for o seu caso, o sonho do potencial máximo da tecnologia finalmente se realizou. Não criou apenas facilidades no local de trabalho, como em casa também. Já comentei antes que a chegada da tecnologia é em parte a razão de ser dessa nossa era – sermos forçados a sair do ninho, para voar ou morrer. Mas, no fim das contas, é a nossa eterna busca pela fronteira – física, tecnológica, material e espiritual – que cria as oportunidades para aqueles que as procuram.

Ainda vivemos em um mundo de consumismo, onde pessoas continuam acumulando computadores, carros, TVs, móveis etc. Mas nada disso é necessário. Você pode ir de um lugar ao outro usando serviços como AirBnb, que oferece bons imóveis mobiliados em quase todos os lugares do mundo, por preços relativamente baixos. Para viagens mais longas, você pode usar serviços de aluguel de carros como o Zipcar para encontrar o carro mais próximo, com a chave na ignição.

Quando viajo usando AirBnb e Zipcar, quase não levo bagagem. Não preciso de um computador ou tablet, porque os celulares de hoje são quase do tamanho de minitablets. E se precisar de um computador, é fácil encontrar um cyber café onde posso escrever meus artigos. Todos os livros que eu quero ler estão no meu "tablefone" (tablet e telefone; no meu caso, um Galaxy Note II). Quase todas as ferramentas de trabalho de que eu preciso estão em aplicativos no meu celular. A única coisa que não posso fazer no telefone é escrever, mas é para isso que servem os cyber cafés.

De que mais eu preciso? De que mais eu preciso, na vida?

Bom, e se eu tiver um emprego? Livre-se dele. No fim das contas, você não precisa disso. No fim das contas, eles vão mandar você embora mesmo. Já falamos sobre isso. Já estamos vivendo isso. As mesas de trabalho agora são commodities. Quem quer que esteja sentado atrás de uma mesa de trabalho é substituível. Vi isso com meus próprios olhos.

Você vai dizer "Mas eu não consigo arranjar outro emprego do nada. Não posso pedir demissão". Tudo bem. Não faça isso. Faça a Prática Diária. Será como mágica, prometo. Você vai achar outro emprego. Vai achar os lugares a que pertence. Vai encontrar uma maneira de ter fontes de renda alternativas para que sua dependência de uma única fonte diminua. As oportunidades estão por aí, você só precisa ser flexível o suficiente para aproveitá-las.

Vou dar um exemplo. Um amigo meu criou uma base de dados com todos os imóveis dos Estados Unidos que são do tipo "alugue para comprar". Em outras palavras, eles estão à venda, mas o dono aceita alugar até que o valor dos aluguéis pagos iguale o preço de venda.

Como ele gerou os dados? Ele basicamente analisou uma dúzia de bases de dados imobiliários e pinçou especificamente os imóveis do tipo "alugue para comprar".

Na economia dos Estados Unidos de hoje, muita gente procura por imóveis desse tipo. Os bancos não estão mais emprestando dinheiro, e como as rendas caíram em relação à inflação (porque estamos nos tornamos uma sociedade sem empregados), ninguém consegue guardar dinheiro para pagar a entrada.

Então ele solucionou um problema que aflige muitas pessoas. Ele anunciou no Google, comprando palavras-chave como *alugue para comprar*. Os interessados pagam uma assinatura anual para ter acesso aos dados. Como as pessoas estão dispostas a gastar centenas de milhares de dólares no imóvel certo, elas também estão dispostas a pagar algumas centenas de dólares para receber informações atualizadas diariamente.

No mês passado, liguei para ele. Ele tinha ganhado 300.000 dólares com sua base de dados. Tentei falar com ele no mês anterior, mas ele estava de férias na Grécia. O mês inteiro.

Não estou sugerindo usar a ideia dele. Quando você estiver lendo este livro, essa ideia talvez não exista mais. Mas existem outras ideias. Outras coisas que podem ser vendidas. Antes de ter a ideia do "alugue para comprar", meu amigo estava vendendo assinaturas de um clube de descontos online, que buscava descontos interessantes na web.

Teve uma pessoa que ficou enojada com essa minha teoria. Ela disse: "Se todo mundo pensasse assim, os poucos materialistas que restassem explorariam todo mundo".

A notícia boa é que existem 250 milhões de pessoas nos Estados Unidos. Talvez mais, não sei. E apenas algumas vão ler este livro, mesmo se for um best-seller. E dessas, apenas algumas seguirão esse conselho específico. Não é fácil. Sobretudo se você tem família, emprego etc.

São apenas sementes a serem plantadas. A maioria não vai seguir esse conselho. Mas espero que todos sigam o conselho da Prática Diária, para ficar saudável o suficiente para tomar decisões sobre sua vida, em vez de confiar em costumes do século passado e ideias antiquadas como "direitos de propriedade", "educação", "empregos", "política", e assim vai, que mantiveram as pessoas escravizadas com algemas filosóficas antiquadas.

O planeta está em um ponto de virada. Espiritualmente, precisamos reconhecer a importância de querer menos coisas na vida, a ponto de desaparecermos. Tecnologicamente, temos as ferramentas para viver onde quisermos. E a maior parte dessas ferramentas cabe em um aparelho dentro do seu bolso. Estar saudável do ponto de vista físico, emocional e mental permite que você combine o lado espiritual e o tecnológico para construir a vida que satisfaça você, em vez de uma vida que satisfaça a sociedade. Não pense "Não consigo achar uma ideia". Você está colocando o carro na frente dos bois. Primeiro alinhe os seus corpos. Adiante veremos como se tornar uma máquina de ideias. Mas acredite: quando o alicerce estiver pronto, o resto será consequência.

E, por fim, você feliz é a maior contribuição que pode dar para criar uma sociedade feliz.

Faça de uma vez

Liguei para um encanador. Vamos chamá-lo de Marcão X. Tipo Malcolm X, só que Marcão.

– É tão bom assim ser encanador?

Ele ficou em silêncio por um tempo e depois respondeu em uma voz meio rude:

– Como é que é?

– Desculpa – eu disse –, não quis ser tão direto assim. Estou escrevendo um artigo. Vivo escutando que encanadores ganham rios de dinheiro e fazem os próprios horários etc. É tão bom assim? Queria saber.

– Hehehe. Pergunte isso a um encanador que recebe uma ligação às 3 da manhã de um advogado qualquer, porque o banheiro do quarto de visitas não funciona, e tem então que ir limpar o encanamento de alguém porque ele não consegue cagar sem o chuveiro encher de água de merda.

– Como assim? Como isso é possível?

– Tem um limite do que dá para passar pelo encanamento. Algumas coisas não deveriam ir por esse caminho. Todo mundo acha que não vai ter problema, mas nem todo desentupidor do mundo ajuda se tiver setenta camisinhas entupindo o encanamento.

– Nossa, as pessoas transam tanto assim?

– Hehehe, só falo pela minha experiência. Então, preciso tirar toda a sujeira que não deveria estar dentro do cano, para começo de conversa, mas que foi se acumulando ao longo dos anos. Quando bloqueia o encanamento de vez, tenho que tirar tudo o que está sendo bloqueado também. Se tiver muita coisa, acaba estourando o encanamento e vai parar em outros cantos da casa, onde não deveria. Ou pinga no vizinho de baixo, no tapete da sala e tal. Então, tenho que rastejar ali e limpar as camisinhas, um monte de camisinhas, sangue, cabelo, absorvente interno, e merda. Muita merda. Já pus minha mão em tanta merda que é como se tivesse limpado milhares de bundas além da minha.

– Mas o dinheiro vale a pena? Você é seu próprio chefe?

Marcão pensou.

– Acho que sim. Consigo tirar a tarde de folga às vezes. Fui assistir ao treino do meu filho outro dia.

– Você é feliz?

– Não é tão ruim quanto eu faço parecer. Cada situação é um problema diferente, e gosto de solucionar problemas. Faz eu me sentir um detetive. E sou muito bom no que faço. Mas vou dizer uma coisa. Ninguém acorda de manhã e pensa “Mal posso esperar para limpar um pouco de merda hoje”. Nunca ouvi isso dos meus colegas encanadores. Mas você aprende a fazer o trabalho e tenta ser feliz em outras áreas da sua vida, para que o emprego não derrube você.

Equilíbrio interior. Saúde interior.

Cansei das pessoas que dizem que empreendedores têm uma vida difícil. E, aliás, eu me incluo nesse grupo. Já escrevi isso muitas vezes. Cansei de me ver fazendo isso. O que eu nunca quis na vida foi:

- ser encanador
- trabalhar em uma mesa de escritório (apesar de ter feito isso por muitos anos)
- ser um trabalhador temporário (apesar de ter feito isso também)

Gosto de:

1. **Fazer meus próprios horários.** Existe um mito de que empreendedores trabalham 24 horas por dia. Isso é asneira. A maioria das pessoas, empreendedoras ou não, desperdiça tempo. Depois de ter começado vários negócios, posso afirmar o seguinte: nunca ganhei um único centavo enquanto viajava. E ainda assim visitei a maioria dos continentes a trabalho, cruzei os Estados Unidos várias vezes, fiz reuniões em todo canto. Nenhuma grana veio de nada disso.

Uma vez, preguei um mapa na parede e coloquei tachinhas em todos os lugares onde a minha primeira empresa tinha "escritórios" e clientes. Um dia, ao acompanhar um potencial comprador pelo escritório, mostrei-lhe o mapa. Ele ficou parado por um tempo, observando. Aos 65 anos, ele comandava a própria empresa havia quase quarenta. "Acho que há negócios o suficiente para me enriquecer aqui mesmo", ele disse. Estávamos no meio de Nova York, a cidade mais rica do mundo! Por que diabos eu tive que ir até Paris, onde é praticamente impossível montar um negócio, achar clientes? Ele denunciou o meu erro e tinha razão. E então comprou minha empresa. Ainda bem!

Aprendi o "Poder do Não". Se alguém me chamar para ir a algum lugar, marcar uma reunião, um café etc., meu primeiro instinto é dizer não. Produzo muito mais quando faço as coisas de que gosto, quando trabalho a minha própria criatividade e continuo construindo meu alicerce de saúde. Correr pelo mundo tentando abraçar cada migalha só gera pobreza financeira e espiritual. É bem melhor trabalhar mais e de forma inteligente, do que apenas "trabalhar mais".

2. **Ajudar as pessoas.** Segue aqui uma lista de pessoas que você pode ajudar como empreendedor:

   A) Seus funcionários. Sempre sigo a filosofa de querer que meus funcionários liguem para casa no fim de um longo dia de trabalho e digam: "Mamãe, tenho o melhor emprego do mundo. Meu chefe é demais e me vejo com meu próprio negócio daqui a dez anos. Estou aprendendo tanto". E sabe de uma coisa? A maioria dos meus ex-funcionários tem hoje seu próprio negócio também.

   B) Seus clientes. Eles têm que cair nas graças do chefe deles. Como fazer isso? Simples:

      i. Faça o que eles pedem.
      ii. Faça dentro do prazo.
      iii. Faça um pouquinho a mais para surpreendê-los.
      iv. Dê ideias de como melhorar ainda mais o trabalho deles. Nunca se esqueça da regra de vendas nº 1: Seu melhor futuro cliente é seu cliente atual.
      v. Melhore a vida deles. Escute-os. Vá aos eventos beneficentes que eles organizam. Apresente-os a potenciais esposas. Indique-os a novos empregos, porque aí você terá uma visão panorâmica de todo o cenário de trabalho do setor. Eles não são apenas seus clientes naquele mês; são clientes para a vida toda. Você veio a este mundo para servir-lhes e melhorar a vida deles.

Tive clientes que me acompanharam de um negócio para o outro, mesmo em áreas totalmente diversas. Você nunca vai perder contato com as vidas que salva.

3. **Lidar com clientes de que gosto.** É horrível lidar com clientes que odiamos. É como o encanador que acorda às 3 da manhã para limpar a merda de um advogado que joga camisinha na privada. Eu tive que fazer isso. Tive clientes que me ligaram às 3 da manhã para pedir conselho sobre empregos. Tive clientes que me ligaram e literalmente perguntaram "Você gosta de mim?" Tive (me veio agora na cabeça) pelo menos sete clientes que me ligaram pedindo propina para continuar negociando. Paguei? Claro que sim! Tinha funcionários para alimentar.

Por um tempo, adotei a política das três faltas. Se um cliente desperdiçasse meu tempo em três acordos sem que eu ganhasse dinheiro, eu o cortava. Mas quebrei essa regra vezes demais. Quando me lembro de como potenciais clientes já tiraram proveito de mim (trabalhando nas "especificações", fechando um acordo que não cheirava bem enquanto eu estava fascinado pelo lado negro da Força, ou sei lá o que me fez abandonar meu dinheiro etc.), realmente tenho vergonha. E pensar que paguei um jantar ótimo para seis pessoas, só para ouvir uma proposta para uma máquina do tempo e um aparelho que faz buracos negros. Estou quase processando a mim mesmo neste exato momento.

4. **Ser artístico.** Ser um empreendedor significa criar algo que o cliente não vai encontrar em nenhum outro lugar. Criação é arte. É a maneira como as ideias se combinam na sua cabeça, e depois, como os dados se combinam para transformar suas ideias em realidade. Depois, como pessoas se combinam para trazer sua criação ao mundo real, com usuários reais. Depois, quanto valor é agregado para que pessoas queiram comprar. Como criar esse valor? Ignorando

as preocupações mesquinhas. Olhando pela janela logo de manhã e admirando a beleza do silêncio. Apenas do silêncio emergirão suas ideias criativas.

5. **Ganhar muito dinheiro.** Muito dinheiro. Mandando a real, é a única razão para se tornar um empreendedor. "Mas e a economia?", podem perguntar. Tem mais dinheiro do que nunca voando por aí. E boa parte desse dinheiro está enterrado e escondido. Chegou a hora de botar as mãos nele. O mercado de ações tem um capital de vários trilhões de dólares nos Estados Unidos. Tem mais 2 trilhões de dólares em fundos de ações privadas. São 50 trilhões de dólares em transações na economia global, por ano. Se você ganhar dinheiro, alguém vai comprar a sua empresa. Ou, melhor ainda, você ganhará tanto dinheiro tão rapidamente que não terá tempo de vender sua empresa.

Sim, é difícil. É estressante. Seus funcionários vão transar uns com os outros e depois vão chorar. Pessoas vão falar mal de você pelas costas. Você não vai pagar os salários em dia. Seus clientes vão abandonar você. Seus investidores, vez outra, vão odiar você. O segredo é sempre ter seu alicerce firme; seus corpos físico, emocional, mental e espiritual devem estar saudáveis e em harmonia entre si. Essa é a base sobre a qual suas ideias serão criadas, sobre a qual soluções e oportunidades aparecerão feito mágica diante dos problemas que inevitavelmente surgem na vida de todos os empreendedores, e todos à sua volta sentirão os benefícios.

6. **Lidar apenas com colegas de trabalho de que gosto.** Sabe aquela coisa de só contratar pessoas ao lado de quem você não se importaria de se sentar em um voo de seis horas?

É melhor, portanto, ser o contratante do que tentar ser contratado. Quando você tenta ser contratado, você coloca a máscara do "sou o cara ao lado de quem você ficará sentado no próximo voo de seis horas". Não gosto de colocar máscaras. Também não gosto que coloquem máscaras perto de mim. É muito difícil enxergar através das fantasias. As pessoas nem percebem que estão usando máscaras; passam a maior parte da vida fingindo ser outra pessoa, alguém que é valorizado, em vez de ser quem realmente são.

7. **Ter ideias.** Quando a pessoa tem um emprego, surgem ideias para aquele trabalho específico. Beleza, nada de errado com isso. Não estou criticando quem trabalha em uma empresa grande (mas eu vou, me aguardem). Mas quando a pessoa é a dona da empresa, as ideias nunca param.

Se você tem uma empresa de produtos, você inventa recursos adicionais para agregar ao produto. Todos os dias. Depois você faz a especificação. Delega alguém para montar. Cria um cronograma e verifica todo dia, até ficar pronto. Depois coloca no mundo. Observa se as pessoas usaram, curtiram. Monta um mailing de fãs. É muito bom ver alguém usando algo que você fez.

Se você tem uma empresa de serviços, você cria mais serviços. Por exemplo, se você ajuda empresas no Facebook, por que não ajudá-las a montar uma lista de e-mails a partir dos milhões de fãs da página da empresa?

Não importa o que seja, todo dia você tem novas ideias para transformar o seu negócio. Quando eu era dono da empresa de serviços web Stockpickr.com, queria criar um fundo que investisse nas melhores ideias dos melhores investidores. Quase entramos no ramo da música rap, do cinema, do chá(!), de banco de dados de umas dez áreas diferentes. Em retrospecto, algumas das nossas ideias eram ótimas, e tínhamos o software para executá-las. Queria ter tido o faro para negócios naquela época e investido em algumas das ideias. Mas não fui atrás. Se uma ideia não trouxesse dinheiro todo mês, eu cortava. Nunca ganhei um centavo naquele negócio.

Na empresa seguinte, fiz 30 milhões de dólares logo de cara e acabei ganhando mais 100 milhões de dólares. O que aconteceu? Bom, era uma ideia ruim.

8. Não ficar à mercê da decisão de uma única pessoa

(quero dizer, se você tem um chefe. Ou apenas um cliente grande, que acaba virando seu patrão).

Eu odeio implorar. Odeio olhar para alguém e pensar "se ela disser 'sim' a minha vida inteira vai melhorar". Odeio ser simpático com alguém só para a pessoa gostar de mim e aceitar o que quer que eu esteja oferecendo. Aposto que algumas prostitutas gostam do que fazem. Não sei. Mas não sou uma delas. Odeio transar com quem não amo. E é isso que acontece quando seu futuro financeiro depende em algum momento de um único tomador de decisão.

9. Estar rodeado de pessoas que pensam como eu.

Em todos os meus empreendimentos, sempre adorei conhecer meus adversários. A verdade é que não tem nada que se compare à concorrência. O mundo é grande o suficiente para duas pessoas no mesmo espaço. Se não for, você está no negócio errado. Sua área de atuação deve ser ampla o suficiente para uma centena de concorrentes. É uma excelente notícia. Significa que você provavelmente vai ganhar dinheiro.

Em todos os negócios em que estive envolvido, fiz questão de tomar café da manhã com meus concorrentes. Sempre aprendo muito a partir de como começaram (a "origem secreta" que todo super-herói e todo empreendedor têm), como superaram obstáculos, como lidam com clientes difíceis, que clientes podem me passar(!), se eles querem vender a empresa, quanto acham que valem, como conseguem clientes e assim por diante. Mesmo agora, sem participar de nenhum negócio específico, gosto de encontrar blogueiros, autores e investidores de start-ups. Aprendo com todos eles e crio novos amigos. É assim que se constrói uma "tribo". Em parte, é você quem define a sua tribo (você tem que procurar por ela), mas ela também define você (se faz parte da tribo dos empreendedores ou da tribo dos cubículos).

10. **Ser um especialista.** Quando você começa um negócio e oferece um produto ou serviço que as pessoas preferem em vez de outros produtos e serviços, você se torna um especialista no assunto. Mesmo sendo novo no ramo, você é um expert. Eu gosto dessa sensação. Gosto de dar palestras, de escrever sobre as áreas que me fascinam. Gosto de criar novos negócios ou estar envolvido em setores da indústria que me fascinam. Às vezes nem era para você ser um expert, mas acaba sendo.

Quando comecei a 140love.com, uma rede de relacionamentos para usuários do Twitter, meu site foi por água abaixo. Só que fui convidado para dar uma palestra em uma conferência sobre Twitter. O título da palestra era "Twitter e o amor". Estava me divorciando e tinha levado um pé na bunda de quatro ou cinco namoradas seguidas. E tinha que falar sobre amor. A ironia era tão completa que dava para montar um X-tudo, se não fosse tão calórico.

Em todo caso, aquele negócio morreu logo. E nem fui dar a tal palestra. Tiveram que achar um substituto em cima da hora. Desculpa, Jeff Pulver. Ele nunca mais me convidou para participar dessas conferências.

MAIS UMA COISA

Já discuti as razões dessa enorme mudança de paradigma. Não é que o sistema esteja perseguindo você. Ou esteja implodindo. Isso não é uma teoria da conspiração sobre o governo, o capitalismo ou sobre o 1 por cento dos banqueiros que lucraram com a crise de 2008. É realmente uma grande oportunidade para pessoas navegarem as ondas agressivas que a história está jogando na nossa costa.

De todo modo, é necessário uma mudança para receber as transformações que estão vindo por aí. Algumas das razões já foram abordadas em capítulos anteriores, mas vou agora retomá-las, para ninguém dar a desculpa de não lembrar.

1. **A velha classe média já era.** Já mencionei as estatísticas e as piadas. Mais uma vez, não é algo para ter medo. E talvez eu esteja sendo um pouco drástico. Mas na taxa atual de queda da renda, e com a saída de capital dos Estados Unidos, é preciso levar isso em consideração ao tomar grandes decisões de vida. Não dá para você escolher que seja de outro jeito. Não é uma escolha. Já está acontecendo. Na verdade, já aconteceu e somos todos zumbis em *The Walking Dead*.

2. **Você foi substituído.** Tecnologia, terceirização e uma indústria cada vez mais baseada em trabalhadores temporários e recursos de produtividade substituíram a classe média. A classe trabalhadora. A maioria dos empregos que existia vinte anos atrás não é mais necessária. Talvez nunca tenha sido. Os CEOs passaram a primeira década deste século inteira em clubes de bairros nobres, choramingando com seus charutos: "Como vamos demitir todo esse peso morto?" Finalmente, o ano de 2008 deu a eles a desculpa. "Foi a economia!", disseram. O país saiu da recessão em 2009. Há quatro anos já. Mas os empregos não voltaram. Todos estão sendo demitidos. Não passam de papel higiênico agora. Descarga.

3. **As empresas não gostam de você.** Isso não é surpresa para os capitalistas, os empreendedores ou mesmo os artistas. A ideia principal por trás de uma empresa é montar uma estrutura legal para tirar vantagem da mão de obra barata. A mão de obra barata fabrica algo por um custo menor do que o preço de venda. Não estou dizendo que isso não é injusto. É o que é. Mas caso você esteja sendo explorado, tem que aprender a explorar também. Use o seu emprego corporativo como um descanso no meio do caminho para se tornar saudável e descobrir inovações, e tire vantagem dessa mítica segurança para subir um degrau em direção a coisas maiores e melhores.

4. **Dinheiro não traz felicidade.** Uma pergunta muito comum no meu bate-papo no Twitter, que aparece pelo menos uma vez por semana, é: "Eu deveria escolher o trabalho que eu gosto ou o trabalho que paga mais?"

Vamos deixar de lado a questão de ter ou não um emprego, em primeiro lugar, e falar um pouco sobre dinheiro. A princípio, a explicação científica: estudos mostram que aumento de salário traz quase zero ou zero aumento de "felicidade" acima de certa faixa salarial. Por quê? Por causa de um fato simples: as pessoas gastam o que ganham. Se o salário aumenta 5.000 dólares, a pessoa gasta 2.000 dólares com acessórios para o carro, arranja um caso, compra um computador novo, um sofá melhor, uma TV maior, e depois se pergunta onde foi parar o dinheiro. Mesmo não precisando de nada daquilo, agora ela precisa de algo a mais: outro aumento de salário. De volta para o cassino corporativo para mais uma tentativa na roleta salarial. Nunca vi ninguém poupar o aumento de salário.

Em outras palavras, não fique no emprego só pelos aumentos salariais regulares. Não vai levar você aonde quer chegar – liberdade das preocupações financeiras. Apenas tempo livre, imaginação, criatividade e uma habilidade para desaparecer ajudarão você a criar algo nunca antes criado na história da humanidade.

Aliás, isso não é apenas uma opinião. Tomemos o caso de uma profissão comum: advocacia. Advogados estão no topo da lista de média salarial. Também estão em primeiro lugar na lista de carreiras com maior porcentagem de profissionais clinicamente depressivos.

Claro que dinheiro soluciona muitos problemas temporários, além de suas preocupações no mundo material. Mas tende a ampliar os problemas interiores também, as características negativas.

5. **Quantas pessoas têm poder de tomar uma decisão importante que pode arruinar a sua vida?** Abordei isso no capítulo "... Aí eles riram". Trago o assunto aqui de novo para você não escapar do problema: de quantas pessoas você tem que

puxar o saco para alcançar seus objetivos profissionais? Uma? Duas? A questão aqui é não babar o ovo para ninguém, mas saber que existem pelo menos vinte pessoas que podem ajudar, de forma independente, a atingir o sucesso que você precisa. E essa lista de vinte pessoas é construída da maneira tradicional – ajuda mútua. A única forma de agregar valor para si mesmo é agregando valor para outros.

Exercício: pense em duas pessoas da sua rede de contatos que não se conhecem, mas que você acha que poderiam agregar valor para a vida um do outro. Apresente-os. Faça isso todos os dias. Vá aperfeiçoando essa prática cada vez mais. Quanto mais valor você agrega para a sua rede de contatos, mesmo se não trouxer resultados diretos (imediatos) para você, mais valiosa será a sua rede. E você terá mais valor.

6. Seu trabalho está satisfazendo suas necessidades?

Vou definir "necessidades" aqui como sempre faço, à luz dos quatro apoios da Prática Diária. Suas necessidades físicas, emocionais, mentais e espirituais estão sendo satisfeitas?

A única vez em que tive um emprego que preenchia tudo isso, eu tinha muito pouco trabalho para fazer e tinha tempo para escrever, começar um negócio, me divertir ou passar tempo com os amigos. Em outros empregos que não me proporcionavam isso, eu trabalhava muito, lidava com pessoas de quem eu não gostava, minha criatividade era esmagada toda hora etc. Em situações assim, é preciso planejar uma estratégia de saída.

Suas mãos não foram feitas para digitar memorandos, mandar faxes ou segurar o telefone enquanto você fala com pessoas de quem você não gosta. Daqui a cem anos, suas mãos estarão apodrecendo como pó no seu túmulo. Faça excelente uso delas agora. Beije suas mãos, para que elas façam mágica.

Pode-se argumentar que nem todo mundo satisfaz essas necessidades no trabalho. É verdade. Mas, já que sabemos que o salário de um emprego não vai deixar você feliz, você pode modificar seu estilo de vida e trabalhar para satisfazer um pouco mais as suas necessidades. Quanto mais elas forem preenchidas, mais condições de riqueza serão criadas para a sua vida.

Sua vida é uma casa. Riqueza é o teto. Mas o alicerce e o encanamento têm que estar lá antes, senão o teto cai e a casa fica inabitável. Você cria o alicerce seguindo a Prática Diária. Não digo isso porque quero vender minha ideia, mas porque funcionou comigo sempre que o teto desabou. Minha casa foi bombardeada, alagou, o vento congelou a ponta dos meus dedos, mas consegui me reerguer. E foi assim que eu fiz.

7. **Seus planos de aposentadoria não servem para porcaria nenhuma.** Não quero saber o quanto você está guardando para quando se aposentar. Acabou. Todo esse mito da poupança já era. A inflação vai podar o grosso das suas economias para a aposentadoria. E para realmente juntar uma poupança substancial você terá que viver muito tempo fazendo o que não gosta. E, de repente, você está com 80 anos, vivendo um estilo de vida modesto em uma caverna e mal consegue manter-se aquecido à noite.

O único plano de aposentadoria verdadeiro é o do Escolha Você. Começar um negócio, desenvolver uma plataforma ou estabelecer um estilo de vida que permite a você guardar grandes somas de dinheiro.

Algumas pessoas dirão: "Bem, mas eu nem sou um empreendedor". Isso não é verdade. Todo mundo é empreendedor. As únicas habilidades que você precisa para ser um empreendedor é ter a capacidade de fracassar, ter ideias, vender essas ideias, executá-las e ser persistente para, mesmo quando fracassar, aprender com os erros e virar a página.

Seja um empreendedor no trabalho. Um "empreengado". Assuma o controle de para quem você responde, do que você faz, do que você cria. Ou comece um negócio paralelo. Agregue valor

– qualquer valor – a alguém, qualquer pessoa, e veja esse valor se acumular e dar início a uma carreira.

Qual é a alternativa? Continuar em um emprego em que o chefe é repressor, vai substituir você mais cedo ou mais tarde, paga o mínimo possível, alterna entre elogios e insultos para que você fique como um peixe no anzol enquanto ele puxa a linha. Essa é a melhor escolha? Você e eu temos as mesmas 24 horas por dia. É assim que você vai passar as suas?

8. Desculpas. "Estou velho demais." "Não sou criativo." "Preciso da segurança." "Tenho filhos para criar".

Uma vez eu estava em uma festa. Daí essa mulher lindíssima veio até mim e me cumprimentou: "James, como você está?" O QUÊ? Quem é você? Respondi: "Oi! Estou bem". Mas não tinha ideia de com quem estava falando. Por que essa mulher estaria conversando comigo? Eu era feio demais. Foram alguns minutos de uma conversa esquisita até me dar conta de quem ela era.

Era a mulher desleixada que havia sido demitida, seis meses antes, da empresa onde eu trabalhava. Ela chorou enquanto empacotava suas coisas da mesa de trabalho. Estava fora de forma, parecia ter uns trinta anos a mais e sua vida estava indo de mal a pior. Até que... Ela percebeu que tinha escapado do zoológico. No filme *THX-1138*, do George Lucas (o nome do personagem principal é THX-1138), a liberdade de todos é suprimida e eles moram debaixo da terra, porque acima é "radioativo". Finalmente THX decide que é melhor morrer na superfície do que sofrer eternamente debaixo da terra, onde não era permitido amar.

Ele não era livre.

THX sobe até a superfície, escapando dos guardas e da polícia. Quando chega lá, faz sol, todos são lindos e o esperam de braços abertos. A desculpa da radioatividade servia apenas para mantê-lo debaixo da terra. (Por sinal, já usei esse exemplo com algumas pessoas que me responderam: "Hum... Isso não estava no filme". É, tem razão. Leia o livro!)

"É fácil para você falar isso", dizem. "Alguns de nós TÊM que fazer isso!" Aquela linda mulher também tinha que fazer isso. "O que você faz agora?", perguntei. "Ah, você sabe", disse ela. "Consultoria."

Alguns dirão: "Não posso simplesmente começar uma consultoria. Nem sei o que isso significa!" Nesse caso respondo "Ok, concordo". Quem sou eu para discutir? Se alguém insiste em ficar na prisão, mesmo com a porta aberta, então não vou discutir. São livres para continuar na prisão.

9. **Tudo bem ir aos poucos.** "Não posso simplesmente pedir DEMISSÃO!", dizem. "Tenho contas a pagar." Entendo. Ninguém está dizendo para pedir demissão hoje. Antes de correr uma maratona, o ser humano tem que aprender a engatinhar, depois andar e então correr. Então, exercite-se todo dia e mantenha-se saudável. Aí corra uma maratona. Cara, o que estou falando? Não consigo correr nem três quilômetros sem entrar em colapso. Eu sou um banana.

Faça uma lista agora mesmo. Com todos seus sonhos. Quero ser um autor da lista dos mais vendidos. Quero reduzir minhas necessidades materiais. Quero me livrar de várias preocupações a que me sucumbi durante a vida toda. Quero ser saudável. Quero ajudar todas as pessoas à minha volta ou aquelas que entram na minha vida. Quero que tudo o que eu faça seja fonte de ajuda para outras pessoas. Quero estar rodeado de pessoas que eu amo e que me amam. Quero ter tempo para mim.

ESSES NÃO SÃO OBJETIVOS. São diretrizes. O que preciso fazer todo dia para cumprir essas diretrizes? Começo na hora em que acordo. "Quem posso ajudar hoje?", me pergunto na escuridão, quando abro os olhos. "Quem precisa da minha ajuda?" Sou um agente secreto e aguardo a minha missão. Pronto para agir. É assim que você anda aos poucos. É assim que você, por fim, vai correr para a liberdade.

10. **A riqueza nunca virá do seu trabalho.** Somente sair da prisão imposta por sua fábrica vai permitir que você conquiste a riqueza. Você não consegue ver isso ainda. É difícil ver os jardins quando se está trancado na prisão. A riqueza só aparece quando seguimos as diretrizes. Quando estamos realmente melhorando a vida das pessoas à nossa volta.

Quando você acorda motivado para aprimorar. Aprimorar sua família, seus amigos, colegas, clientes, fregueses potenciais, leitores, pessoas que você nem conhece, mas gostaria de conhecer. Seja uma fonte de aprimoramento, e todos os viajantes sedentos se voltarão para você, trazendo com eles riquezas abundantes.

Este capítulo não é um alerta para a vida. Não é para colocar medo, do tipo "se prepare para ser pobre". Não é nem uma ode à grandiosidade e plenitude do empreendedorismo. É a realidade.

Direto ao ponto: o que eu preciso fazer?

Você deve estar se perguntando: "Bom, se eu largar meu emprego, o que vou fazer depois?"

Perguntei isso para pessoas que passaram por essa situação. O que elas fizeram? Como largaram o emprego e, basicamente, ganharam 1 milhão de dólares? Nem todo mundo é Mark Zuckerberg ou Larry Page. Nem todo mundo vai largar a faculdade e criar um iPhone, uma máquina do tempo ou uma privada que ajusta seu tamanho de acordo com quem vai sentar nela (apesar de que isso seria muito legal).

Algumas pessoas gostariam simplesmente de largar seu atual emprego porcaria e ganhar o suficiente para viver. Outras, de ganhar 1 milhão de dólares. Naquele filme sobre o Facebook (sabe, aquele feito para promover o Justin Timberlake), JT diz que "um milhão não é legal. Um BILHÃO é legal".

Na verdade, JT, 1 milhão de dólares é bem legal. Nem todo mundo vai virar um manda-chuva de um fundo de capital de 100 milhões de dólares. Às vezes é legal ganhar um milhão, ser o próprio chefe e usar esse sucesso financeiro como catapulta para a liberdade.

Liguei para Bryan Johnson, que criou uma empresa chamada Braintree. Talvez nunca tenha ouvido falar da Braintree, mas talvez já tenha ouvido falar de seus clientes. Eles fornecem transações de cartão de crédito e serviços de pagamento para empresas como OpenTable, Uber, Airbnb etc.

Eu nunca tinha conversado com Bryan antes. Não sou um investidor da Braintree. Até onde eu saiba, não sou nem investidor de nenhum de seus clientes (infelizmente). Eu gosto de ligar para pessoas que eu acho que têm histórias interessantes para contar e ouvir o que têm a dizer. É assim que construo não só minha a rede de contatos financeiros como também conquisto possíveis amizades. Eu sabia que Bryan tinha uma história interessante sobre como ele montou a Braintree e que seria útil para aqueles que se perguntam, "O que eu faço agora?"

A versão resumida: em 2007, Bryan era gerente da loja de departamento Sears. Ele largou o emprego e lançou a Braintree. Em dois anos ele estava ganhando mais de um milhão por ano. No devido tempo, a Braintree cresceu ainda mais e atraiu mais de 70 milhões de dólares da Accel e outros investidores. Mas não era isso que me interessava.

– Como você conseguiu? – perguntei. – Quais são os passos?

– Eu realmente não gostava do meu trabalho – ele respondeu – e nunca topei muito a ideia de ganhar um salário fixo. Eu havia sido um vendedor no ramo de processamento de cartões de crédito, ia atrás de comerciantes, como restaurantes e varejistas, e os convencia a mudar de serviço e a contratar a minha empresa. Aí resolvi que dava para fazer isso trabalhando para mim mesmo, em vez de para outra empresa.

1. **Elimine o intermediário.** Em vez de voltar à empresa para qual ele trabalhava, Bryan encurtou o caminho e foi direto ao processador de cartões de crédito, criou seu próprio contrato de revenda com eles, e fez tudo isso ANTES de largar o emprego na Sears.

Muitas pessoas me perguntam: "Estou trabalhando, devo ir atrás de investidores?" NÃO, claro que não! Primeiro você tem que ir à luta. Investidores gostam de apoiar pessoas que mostrem garra!

2. **Escolha um negócio chato.** Todo mundo quer achar o próximo "grande lance". O próximo grande lance é achar minerais raros em Marte. Isso é TRABALHO DURO. Não vá por aí! Bryan escolheu um serviço utilizado por todos os comerciantes do mundo. Ele também sabia que era um negócio em expansão, por causa da explosão do comércio eletrônico. Você não precisa descobrir a "nova coisa nova". Faça mais do mesmo, só que um pouco melhor do que o resto. Um negócio menor e mais ágil pode oferecer vendas e serviços melhores do que os dos dinossauros congelados em burocracia. Os clientes vão migrar para sua empresa. Se o serviço oferecer uma proximidade maior com o cliente então, eles vão cair no seu colo.

3. **Arranje um cliente!** Essa é provavelmente a regra mais importante para um empreendedor. As pessoas querem achar e seguir o "caminho mágico": conseguir investidores, largar o emprego, criar um produto e aí ter milhões de clientes. NUNCA é assim.

Bryan encontrou dez clientes (dos primeiros doze que abordou) que trocariam de serviço de cartões e migrariam para a sua empresa. Ele calculou que precisaria ganhar 2.100 dólares por mês para largar o emprego. Com os primeiros dez clientes, ele estava ganhando 6.200 dólares, então tinha uma margem de segurança caso algum deles pulasse fora. Ele largou o emprego e de repente o negócio estava em funcionamento.

4. **Crie confiança enquanto dorme.** Normalmente, essa regra diz "Ganhe dinheiro enquanto dorme". Mas Bryan já estava ganhando dinheiro enquanto dormia. Ele ganhava dinheiro em todas as compras de cartões de crédito dos dez primeiros clientes dele.

"Eu não queria ficar para lá e para cá procurando clientes", disse Bryan. "Precisava achar uma maneira de conseguir clientes do comércio online. Alguém sugeriu que eu criasse um blog. E um bom blog precisa ser totalmente transparente, ou não funciona. Comecei então a escrever sobre o que estava acontecendo na indústria do cartão de crédito, inclusive sobre as práticas inescrupulosas, e sobre como os comerciantes estavam sendo logrados. Então divulguei meus posts nas redes sociais mais importantes da época – Digg, Reddit e StumbleUpon – e às vezes os posts eram tão populares que o tráfego no meu website aumentava tanto que dava pane. Acabei me tornando uma fonte de informações confiável sobre processamento de cartões de crédito. Logo todos os sites que tinham dificuldades para entender essa indústria começaram a me contatar para trocar de operadora de serviços de pagamento."

Sobre isso, duas coisas.

5. **Não pense que blogs servem para ganhar dinheiro.** Blogs são para ganhar a confiança dos clientes. Não têm venda de espaço publicitário (raramente), não têm contrato milionário para lançar livro (raramente), mas geram confiança, o que cria oportunidades. Meu próprio blog nunca rendeu um centavo, mas gerou milhões de oportunidades. No caso de Bryan,

gerou mais tráfego em seu site, além de sua primeira grande oportunidade, conforme ele contou.

"Basicamente, os caras do site OpenTable me ligaram porque queriam um software que resolvesse o armazenamento de dados de cartões de crédito, a troca de informações com os restaurantes e garantisse maior conformidade do ponto de vista regulatório. Assinei um acordo de três anos, que me permitiu montar uma equipe de desenvolvedores, e chegamos a uma solução. Tínhamos então mais serviços para oferecer aos clientes."

6. **Diga SIM!** Ele começou apenas conectando comerciantes a um processador de cartões. Aí a OpenTable pediu que desenvolvesse um software, mesmo que ele nunca tivesse feito isso antes. Ele disse SIM! Foi atrás de desenvolvedores de software, criou um excelente produto e, *chutando baixo*, quadruplicou sua renda. A decisão de dizer SIM! elevou os negócios dele a outro patamar, não apenas em relação aos serviços que ele oferecia, mas também pela maneira que os clientes o avaliavam. Da noite para o dia, o boca a boca espalhou a notícia e outras empresas online começaram a usar o serviço da Braintree: Airbnb, Uber etc. E os investidores de start-ups começaram a ligar, porque seus clientes diziam que a Braintree estava providenciando todos os serviços de pagamentos. Não é fácil start-ups conseguirem esses serviços.

Bryan disse que "no início, montávamos um pacote para nosso processador de cartões de crédito a cada novo cliente, mostrando por que achávamos que nosso novo cliente era um comerciante legítimo e confiável". Por isso...

7. **Faça um bom atendimento ao cliente.** Trate todo cliente, novo ou antigo, como um ser humano de verdade. "Intuitivamente, sabíamos em linhas gerais o que não gostávamos no atendimento em outros lugares: telefonemas automatizados,

demora no retorno, pouca capacidade de solucionar problemas etc. Então fizemos questão de eliminar o máximo de ruído entre a ligação do cliente e a solução do seu problema." Quando o negócio é pequeno, não há desculpas para um atendimento ruim. Seus melhores novos clientes são seus clientes antigos, e a melhor maneira de manter seus clientes antigos é providenciando ajuda rápida quando precisam. Atendimento ao cliente é o ponto mais importante para continuar vendendo seu serviço a eles.

– Ok – eu disse –, tenho que perguntar. Quando seus cheques passaram a ter mais de sete dígitos?

No segundo ano, Bryan estava ganhando mais de 1 milhão de dólares e o negócio dobrava a cada ano. Não conseguia contratar pessoas rápido o suficiente. Em 2011, depois de quatro anos em atividade, a Braintree recebeu a primeira grana de investimento externo – 34 milhões de dólares na primeira rodada de capitalização. Dois anos depois, segundo o site de investimento em empresas de tecnologia CrunchBase, eles processavam mais de 8 bilhões de dólares em transações de cartões de crédito anualmente. Nada mal para alguém que largou o emprego e só queria pagar as contas.

E o que isso tem a ver com você?

Sempre recebo e-mails idiotas. "Ganhe um milhão comprando ouro!", "Ganhe um milhão com imóveis!", "Os segredos para ganhar um milhão, revelados com exclusividade!" Aí clico no link e é tudo idiotice. Respostas vagas, alguns depoimentos e depois você tem que comprar o pacote. Tudo idiotice.

COMEÇANDO A TER IDEIAS

O resto deste capítulo fala sobre ter ideias específicas para ganhar 1 milhão de dólares, para fazer o que Bryan Johnson fez em menos de dois anos. É só um brainstorming, calma, e vem da minha experiência e expertise pessoal, então há limitações neste escopo. Mas é um começo. É por onde começo quando quero inventar uma nova ideia de negócios. É por onde você pode começar também. Observação: já houve alguém que explorou cada ideia a seguir para tentar ganhar um milhão ou mais. Estou recomendando esses métodos? Não. Mas, de novo, são pontos de partida para o brainstorming.

1. **Crie um serviço que atenda ao ramo mais vanguardista da internet.** Comece com um negócio pequeno. Nos anos 1990 teria sido uma empresa de websites. Hoje você pode criar um aplicativo ou uma agência de mídias sociais. Não ofereça apenas fan pages no Facebook. Arranje fãs para seus clientes. Crie contas no Twitter para as pessoas. Depois arranje seguidores para elas. Monte negócios no YouTube, Pinterest, Wanelo, Etsy, Quora, Instagram, MailChimp. Todo pequeno empreendimento (escritório de advocacia, consultório odontológico, floricultura etc.) deveria ter conhecimento de algumas, se não de todas essas ferramentas. Sua nova agência pode oferecer isto.

Como você encontra clientes? Visite os negócios locais que você frequenta. Pergunte do que eles precisam e o que você pode fazer. Consiga os primeiros clientes gratuitamente e depois comece a cobrar uma taxa mensal. Mande uma carta toda semana falando sobre os novos serviços que você está prestando. Não se esqueça: os melhores novos clientes são seus clientes atuais.

Se você trabalha em algum lugar, fale com seu empregador. Ofereça seus serviços. Se ele aceitar, tente pedir demissão, abrir uma empresa e oferecer novamente os serviços. Pô, faça deles acionistas da sua empresa por terem ajudado você.

Só estamos tentando chegar a UM MILHÃO, lembra? Depois que você conseguir algumas centenas de milhares em receita e começar a contratar pessoas, venda o negócio por um milhão. Pronto. Haverá vários compradores (agências de publicidade locais, agências maiores querendo expandir, empresas de mídia social ainda maiores, pequenas empresas de capital aberto tentando entrar no ramo do espaço publicitário etc.).

Você está sempre vendendo alguma coisa: seus serviços, os serviços dos seus clientes(!) (esse é o verdadeiro segredo para manter clientes, por sinal), sua empresa.

2. **Apresente as pessoas uma às outras.** Toda empresa está à venda. Toda empresa tem um preço. E existem muitos empreendedores tentando comprar negócios. Não apenas empreendedores, mas as chamadas "roll-ups", cujo negócio é comprar outros negócios. Essas companhias compram várias empresas familiares, pequenas ou em dificuldades, em diversos lugares, consolidam todas elas, eliminam os cargos administrativos duplicados e se tornam então uma empresa nacional com margens maiores, que podem entrar na bolsa ou serem vendidas.

Às vezes, as empresas precisam de ajuda para encontrar compradores. Às vezes, as empresas precisam de ajuda para "entrar em forma" antes de encontrar os compradores. Às vezes, as empresas não têm ideia do que fazer quando encontram um comprador. Um advogado até pode ajudar, mas não muito na verdade. Ele só acrescenta pilhas de procedimentos e elimina pilhas de lucro.

É difícil dominar o mundo das aquisições. Se conseguir entrar nesse meio, você consegue ganhar dinheiro. Existem leis que regulam a remuneração desse serviço, mas se você entendê-las e construir um negócio em cima dessa ideia, dá para ganhar um milhão facilmente.

3. **Escreva um livro.** Eu nunca ganhei um milhão escrevendo um livro. Mas tenho alguns amigos que ganharam milhões escrevendo livros ou algum tipo de conteúdo. É uma área complicada, então o segredo aqui é ser autêntico. Não escreva um livro sobre algo que você não saiba nada a respeito. Do contrário, você será igual aos remetentes de spams idiotas, só que cem vezes pior, porque o que eles fazem em seiscentas palavras você faz em 60.000. Em vez disso, encontre alguém que conheça o assunto e escreva sobre o que ele fez.

4. **Escreva um livro, parte II.** Na verdade, eu menti. Acabei de lembrar que já ganhei um milhão escrevendo um livro. Meu primeiro livro, *Trade Like a Hedge Fund* [Negocie como um investidor de risco]. O livro em si não rendeu tanto assim – talvez uns 50.000 dólares, mais ou menos –, mas em 2004 passei a ser convidado para falar em empresas como Fidelity, Schwab, Profunds. Algumas empresas me pagavam até 20.000 dólares por palestra. Provavelmente já dei mais de cem palestras baseadas naquele livro nos últimos nove anos. Além disso, escrevi artigos e encontrei outras oportunidades por causa daquele livro. Lembre-se: quando você escreve um livro, não só as vendas importam. Livros dão credibilidade na sua área de especialidade ou interesse. Credibilidade traz oportunidades para:

   A) Prestar consultoria (Tim Ferriss fez isso muito bem).
   B) Dar palestras (os autores de *Freakonomics* construíram a carreira assim).
   C) Estar na mídia (programas de TV, de rádio etc.).
   D) Escrever artigos. A maioria dos autores que eu conheço, até os mais vendidos, não ganham milhões com seus livros. Eles ganham escrevendo para revistas ou para empresas que pagam bem ou sei lá mais o quê. Isso se acumula. E, se acumular o suficiente, você consegue terceirizar muito do que você escreve a pessoas de confiança, desde que você revise três vezes o trabalho delas. Quando eu escrevia sobre finanças em 2005, chegava a escrever cinco artigos POR DIA com a ajuda de uma equipe barata (estudantes do ensino médio), que sabiam mais sobre ações do que a maioria dos investidores de risco que conheço.
   E) Montar um mailing para o qual você consiga vender outros produtos. Eu nunca fiz isso, mas vários amigos meus (veja os livros de Ramit Sethi ou de John Mauldin) o fizeram bem.

5. **Providencie ajuda financeira.** Outro dia, visitei um amigo que estava alugando uma mansão de 5 milhões de dólares em

South Beach, Miami. Perguntei: "Quem é o dono desse lugar"? Ele respondeu: "Um cara aí que descobriu como fazer dinheiro tirando pontos da carteira de motorista". A casa tinha sete quartos, oito banheiros, um estúdio de música, um barco atracado atrás do quintal e um closet maior que um apartamento de Nova York, e vinha com uma chef de cozinha. Ela cozinhou para nós.

Vivemos em uma economia em que a mídia nos lembra quase diariamente como o hiato entre ricos e pobres está ficando cada vez maior. Dane-se a mídia! A situação é o que é. Não vamos reclamar de política ou economia. Vamos de fato ajudar pessoas com problemas financeiros. As pessoas precisam de ajuda com:

A) Multas (como o exemplo anterior)
B) Empréstimos estudantis. Nos Estados Unidos, as dívidas estudantis chegam a um trilhão de dólares. Um negócio que ajude os jovens a navegar esse cenário intrincado vale facilmente um milhão.
C) Reparação de crédito
D) "Alugue para comprar". Sempre sou contra comprar imóveis mas, para o bem ou para o mal, algumas pessoas querem a casa própria. Quem sou eu para impedir? Nos Estados Unidos, desde 2008, muitas dessas pessoas não conseguem mais comprar um imóvel. Os bancos se recusam a conceder crédito. Lembra o meu amigo do capítulo "Como desaparecer sem deixar pistas e nunca ser encontrado", que comprou todas as bases de dado das imobiliárias e montou a sua própria lista com casas do tipo "alugue para comprar"? Ele cobra uma assinatura. E adivinha? As pessoas pagam. Tanto é que ele expandiu seu modelo.

Ele acabou de lançar um "alugue para comprar" para computadores. Ele compra notebooks no atacado, a 200 dólares cada um e os "aluga para comprar" a 20 dólares por semana durante um ano. BUM! Lucros enormes. Ele começou há alguns meses, ganha agora

300.000 dólares por mês e pode vender a empresa por alguns milhões de dólares quando bem entender. E, aliás, ele não fez faculdade.

Se você é igual a muitas pessoas que estão vendo isso pela primeira vez, provavelmente todas essas ideias fizeram a sua cabeça rodar e deixaram você com muitas perguntas. Desde que comecei a escrever e dar palestras, ouvi todas elas:

Deveria então largar meu emprego? Tenho milhões de ideias, em qual devo investir primeiro? Será que preciso melhorar em ser multitarefa? O que fazer se tenho boas ideias, mas sou um procrastinador? Estou muito ocupado, tenho família, não tenho tempo, o que eu faço?

Entendo. Acredite em mim, realmente entendo o que você está passando. É muito difícil. São perguntas difíceis. E tenho respostas muito específicas para cada uma delas. Infelizmente minhas respostas não importam – e não vão fazer diferença – até você começar do início e voltar aos princípios básicos.

Quando eu era criança, morria de medo da minha avó. Quando nos visitava, a primeira coisa que ela fazia era ir até meu quarto e gritar comigo se estivesse tudo bagunçado. A gente tinha que colocar escondido uma dose extra de cortisona no seu punhado de vitaminas diárias para mantê-la calma.

Em preparação a suas visitas, passei a limpar o quarto. Arrumava super-rápido. Porque varria tudo para debaixo da cama. Meu quarto ficava um brinco, mas a verdade é que ainda era uma bagunça nojenta.

A mesma coisa acontece com a vida da maioria das pessoas. Não digo isso para criticar. Mas sei que é verdade. Toda vez que perdi dinheiro foi porque me convenci erroneamente de que estava em boa forma, mas havia ainda muita porcaria debaixo da cama. Não tem como fugir. Limpar o quarto e a casa onde reside sua liberdade – a casa onde você quer morar – toma tempo e esforço. Requer o alicerce certo, que começa com o bê-á-bá.

O jeito de voltar aos princípios básicos é fazendo a Prática Diária e focando nos Quatro Corpos (faça um de cada todo dia):

CORPO FÍSICO. Estou me alimentando bem? Fazendo exercícios? Usando fio dental? Dormindo o suficiente? Não tem milagre.

A única pessoa que eu conheço que afirma dormir "três horas por dia e ainda ter muita energia" é uma completa bipolar. Sério.

CORPO EMOCIONAL. Estou rodeado por pessoas que me amam? Estou evitando conviver com pessoas que me deixam para baixo, mesmo se forem colegas de trabalho? Estou deixando de fofocar? Estou agradecendo às pessoas que são boas para mim? Aposto que isto parece muito brega, não? Você provavelmente está se perguntando "O que isso tem a ver com ganhar um milhão?"

Ano passado, meu amigo de Miami (o da mansão) ganhou vários milhões em negócios. Alguns anos antes, ele estava quebrado, morando no porão da casa dos pais. Estava obeso, nada saudável, em um relacionamento ruim. Suas ideias estavam esgotadas, eram resquícios da última vez que ganhara um milhão (que ele perdeu, claro). O que mudou?

Como muitas pessoas, ele percebeu que precisava fazer algo diferente para sair do buraco. Parar de achar que suas ideias de jerico eram uma maravilha. Então o primeiro passo foi jogar fora todas essas ideias.

Meu amigo entendeu que o primeiro passo era voltar aos princípios básicos. Ele passou a correr e a comer melhor. A sensação de progresso se expandiu para seus relacionamentos, sua criatividade, sua vida espiritual, e tudo isso junto mudou a maneira como ele entendia os negócios. Não foram os negócios que melhoraram. Foi o raciocínio dele que melhorou porque era o resultado de um alicerce ligado à saúde. E sobre esse alicerce constrói-se a casa onde se quer morar.

Ele terminou o relacionamento ruim, perdeu 25 quilos, tem uma chef de cozinha particular que prepara apenas refeições saudáveis. Contratou alguém para ajudá-lo com o marketing do empreendimento, o que o ajudou a ter ideias novas e estimulantes. E a arrogância pela qual ele era conhecido parece ter melhorado bem.

CORPO MENTAL. As pessoas têm muitas ideias, mas a maioria é ruim. A maneira de conseguir boas ideias é 1) Ler duas horas por dia, e 2) Escrever dez ideias por dia. Em um ano, você terá lido durante quase mil horas e listado 3.600 ideias. Uma dessas ideias vai marcar o gol de placa. Como saber qual? Ou quais? Bom, você estará fazendo a Prática Diária e focando igualmente nos outros três corpos, essenciais para a saúde.

CORPO ESPIRITUAL. Eu estava conduzindo um retiro em um "resort" espiritual alguns meses atrás. Eu não queria cobrar nada e queria chamá-lo "Criando sucesso de dentro para fora". Duas coisas ocorreram. A direção do retiro disse "Não, você tem que cobrar!" e, depois, "Não pode usar a palavra *sucesso*. Nosso público não gosta disso".

Achei engraçado. As pessoas espiritualizadas odeiam a palavra sucesso, mas estão dispostas a cobrar os olhos da cara do "público". Para sua informação, se não me engano isso se chama "golpe". Não que eu ache que pessoas voltadas para o "sucesso" sejam melhores. Elas odeiam a palavra "*espiritualizado*" tanto quanto. Isso lembra aquelas baboseiras New Age que eles eram obrigados a ouvir na infância ou aquelas instruções religiosas entediantes de pais que precisavam da ameaça da condenação eterna para fazer os filhos arrumarem os quartos.

Então vamos afastar isso. Não busque satisfazer qualquer noção preconcebida do que é espiritualidade. Algumas pessoas dizem "Ah! Mas tem que meditar! Tem que sentar na posição de lótus". Blá, blá, blá.

Não, não tem. Tudo o que você precisa fazer é ficar no presente. Quando se pegar chateado pelo passado ou preocupado com o futuro, diga para si mesmo "Ah, estou viajando no tempo", e PARE. Isso é que é meditação. Isto é que significa ser "espiritualizado": *não* viajar no tempo. Não acredite em ninguém que diga o contrário. E dá para praticar o dia inteiro. Ainda não tem certeza?

Faça esse exercício diariamente: acorde e pense em cinco pessoas na sua vida a quem você deve agradecer *agora*. Não pessoas a quem você agradeceu *no passado*. Nem pessoas a quem você espera agradecer no futuro, se agirem como você quer que ajam. Cinco pessoas DE HOJE. Só precisa fazer isso. Quer dar mais um passo? Aceite o fato de que você não pode controlar TODOS os eventos da sua vida. Aquelas pessoas a quem você quer agradecer no futuro provavelmente não farão exatamente o que você quer. A única coisa a ser feita é a preparação. O resultado vai ser o que for. Por fim, tente separar seus pensamentos entre "futuro" e "passado". Se conseguir, terá uma boa chance de continuar no presente.

Quando você começa a se questionar e a exercitar essas quatro áreas – quando põe todos os quatro corpos em forma –, a qualidade das suas ideias vai melhorar, você terá mais tempo e energia e vai construir o alicerce que mais tarde se transformará na casa onde você quer morar.

A crise financeira global foi a única recessão da história em que o dinheiro corporativo VALORIZOU trimestre após trimestre nos Estados Unidos. A consequência é que há uma quantidade massiva de dinheiro circulando. Trilhões. Enquanto isso, milhões de pessoas ficaram desempregadas (ou subempregadas) e enfrentaram dificuldades financeiras. É o seu caso? Você é um dos milhões de angustiados que precisa de ajuda, procurando liberdade? Este capítulo sobre escolhas específicas foi escrito especialmente para você.

Não estou espalhando babaquices. Não estou tentando vender nada, nem recomendando que alguém use alguma ideia do brainstorming acima. Mas estou, sim, tentando convencer você a fazer *algo*. Algo que aumente suas chances de ganhar um milhão. Algo específico que deixe você saudável e que seja o primeiro passo concreto no caminho para escolher você.

Não custa muito ganhar um bilhão

Ninguém se escolhe para ganhar 1 bilhão de dólares. Ninguém acorda e diz: "Vou fazer de tudo para ganhar muito dinheiro". Normalmente a gente acorda e pensa: "Estou com um problemão. Muitas pessoas têm o mesmo problema. E ninguém vai solucionar o problema a não ser eu mesmo". Melhor ainda se puder dizer que "um milhão de pessoas têm esse problema".

O mundo corporativo não soluciona problemas. Empresas são máquinas que ficam eternamente fabricando o mesmo produto, com pequenas diferenças, para sempre. Com nova tecnologia, novos métodos de marketing e uma vida saudável e balanceada – que ajuda a ter e a executar novas ideias–, você pode se tornar o tipo de pessoa que resolve o problema de milhões de pessoas. É a manifestação externa do princípio de que, melhorando a si mesmo, você está melhorando a vida de pessoas à sua volta.

Sara Blakely percebeu que tinha um problema. Um problemão. Ela queria ficar mais bonita quando usava meia-calça. Mais especificamente, ela queria eliminar a marca desagradável que aparecia na cintura, sob a saia. Ela solucionou o problema criando uma meia-calça sem costura. Talvez você tenha ouvido falar. Chama-se Spanx. Parece fácil? Trivial? E é mesmo. Até ela admite. E agora ela vale 1 bilhão de dólares.

Estou glorificando o bilhão de dólares? Com certeza. É isso que importa para as pessoas. Ninguém se importa com alguém que criou uma nova meia-calça. Mas esse foi o problema que ela solucionou e que começou tudo. Ela só queria ficar mais bonita. E as amigas dela também. E assim por diante.

Aqui vão minhas lições tiradas da história de Sara:

1. **Mantenha-se motivado.** Ela lia livros de autoajuda (em particular os primeiros livros de Wayne Dyer) e livros motivacionais desde os 16 anos. O que faz um livro de autoajuda? Ele diz que aquela parte do mundo à sua volta existe porque você "pensa" que ela existe. Um exemplo radical: se você estiver deitado no chão deprimido o tempo todo, não vai aproveitar as oportunidades. Se todo dia você acordar e se perguntar "Qual será a aventura de hoje?", as aventuras vão aparecer. Então, desde muito jovem ela se condicionou a ficar de olho em oportunidades na vida. Durante dez anos ela se condicionou a pensar dessa forma antes de ter a ideia da Spanx. Sem perceber, a partir da espiritualidade, ela estava fazendo a Prática Diária para sua saúde mental, emocional e física.

2. **Seja muito bom em vendas.** Um dos primeiros empregos de Sara foi em uma empresa chamada Danka, vendendo aparelhos de fax. Depois de algum tempo, quando completou 25 anos, ela já era treinadora nacional de vendas. As pessoas se intimidam com a palavra *vendedor*. Acham que o processo de vender é uma coisa "suja". Mas a única maneira de chegar a qualquer lugar é ter ideias, além de uma grande habilidade para vendê-las. Sara tinha essa habilidade.

3. **Solucione um grande problema.** Se você quer juntar 1 bilhão de dólares, você precisa achar um problema que ninguém solucionou ainda. Neste exato momento, há um milhão de problemas que, quando resolvidos, alguém vai dizer: "Puta merda! É muito fácil. Por que não pensei nisso antes?" E, mesmo assim, esses problemas por enquanto continuam sem solução.

E qual foi o problema que Sara "solucionou"? Noventa e nove por cento das mulheres reclamam do pneuzinho que se forma no alto da meia-calça, onde começa a barriga. Tudo bem, pensou Sara, tenho uma ideia que resolve isso: uma meia-calça que não tem pé e que modela o corpo da mulher por baixo do vestido. Aí ela foi lá e fez. Agora as mulheres estão mais bonitas. Não apenas ela resolveu um problemão para mulheres, mas um questão para os homens também! Nós gostamos de mulheres bonitas.

4. **Prepare-se.** Como ela conseguiu? Sara nunca tinha feito nada no ramo da moda antes. Então ela passou dias na biblioteca e em lojas de lingerie. Ela tinha um trabalho de tempo integral, mas à noite ela pesquisava todas as patentes. Ela comprou todos os tipos de meia-calça. Ela conhecia a indústria inteira. Para ser bem-sucedido em algo, você tem que:

   A) Conhecer todos os produtos da indústria.
   B) Conhecer todas as patentes.

C) Experimentar todos os produtos.
D) Entender como os produtos são fabricados.
E) Criar um produto que VOCÊ usaria todo dia. Não dá para vender algo que você não AME.

5. **Seja cara de pau.** Quando eu estava prospectando usuários para o Stockpickr.com – site que eu montei de 2006 a 2007 –, liguei para AOL, Yahoo, Google, Reuters, Forbes etc. E adivinha? Todos eles me atenderam, porque eu sabia que era algo de que todos eles precisavam. Consegui de duas a cinco reuniões com cada grupo e fechei vários acordos com todos eles. Se você tem algo que vale a pena, não pode ter medo de ligar na cara de pau. Eles precisam de você mais do que você precisa deles.

E o que isso tem a ver com Sara Blakely e a Spanx? Ela foi cara de pau e ligou para o lugar que melhor venderia o produto dela – a loja de departamentos chique Neiman Marcus; eles amaram o produto e compraram na hora.

Um adendo

Alguém me perguntou ontem se eu tinha o contato de uma loja de produtos infantis famosa para que a pessoa pudesse vender uma série ótima de livros de viagens para crianças. Acho uma excelente ideia. Por quê? Porque minhas filhas compram todos os livros dessa loja. É uma loja de brinquedos, mas que também vende livros tipo *Como ser um filho de pais divorciados*, por exemplo. (Ambas as minhas filhas, tendo pais divorciados, leram de cabo a rabo.) Então por que não livros de viagens? Essa moça já publicou uma dúzia de livros de viagem para crianças entre 8 e 12 anos, a faixa etária exata do público dessa loja de brinquedos. Sei que ela é uma boa escritora porque minha filha fez até uma resenha sobre um de seus livros para a escola e amou. Então sei que crianças amariam seus livros de viagem.

Ela queria o contato porque tinha medo de ligar na cara de pau. Mas quase todas as vendas são feitas assim. Se existe a necessidade, as pessoas vão adorar conhecer você. Ligue agora mesmo!

6. **Não custa muito ganhar 1 bilhão de dólares.** Sara começou com 5.000 dólares. Ela nunca foi atrás de investidores. Nunca pegou dinheiro emprestado. Agora a receita dela está na casa das centenas de milhões por ano. O Facebook gastou alguns milhares até chegar a ter um milhão de usuários por dia. O Google mal colocou dinheiro no começo. Não que eu faça parte do time do bilhão, mas posso dizer que o Stockpickr.com me custou menos de 5.000 dólares para ser criado e foi vendido por 10 milhões de dólares alguns meses depois. E a primeira empresa que eu vendi custou *menos* de zero. Tínhamos clientes lucrativos desde o primeiro dia.

Se você tem uma ideia, não se concentre no dinheiro. Não se concentre em como você vai pagar as contas. Faça o seguinte:

A) Monte o seu produto.
B) Venda-o a um consumidor.
C) Comece a distribuição.
D) E só DEPOIS largue o emprego.

Sara não deixou o emprego antes de estar preparada para vender seu primeiro milhão em pedidos. A maioria dos empreendedores me pede ajuda antes mesmo de ter um produto pronto. Eles têm "uma ideia" e querem pedir demissão para tocar o projeto e, portanto, precisam de dinheiro imediatamente. Tá louco? É melhor comprar um desentupidor, para quando o dinheiro for parar na privada.

7. **Não peça permissão antes, peça desculpas depois.** Sara não gostou da exposição da Spanx na Neiman Marcus. Então ela comprou amostras do seu produto na Target (loja de departamentos econômica) e as colocou ao lado do caixa na Neiman Marcus. Ela sabia que ninguém a questionaria. Ninguém faz perguntas quando você mostra confiança, inteligência e tem orgulho do produto. É igual ao experimento do psicólogo de Yale que mencionei antes. Simplesmente PEÇA o assento no metrô e as pessoas deixarão você sentar.

Sara fez isso. Danem-se as consequências. O que mais ela fez? Ela mandou para a estilista da Oprah. Quem mais perfeito para usar a Spanx do que Oprah Winfrey?

8. **Tire proveito de toda publicidade.** Eu sou meio fraco nisso. Digo não para tudo. O canal nacional de televisão CNBC costumava me ligar o tempo todo e eu nem retornava as ligações. Até que Jim Cramer, apresentador de um programa sobre finanças, me perguntou: "Por que você está me fazendo passar vergonha desse jeito? Retorne as ligações". Ele argumentou muito bem, dizendo que, se você não se promover, ninguém vai.

A primeira vez que ouvi falar do Spanx foi no programa sobre empresas de sucesso do Donny Deutsch. Mas *milhões* de pessoas ficaram conhecendo o produto por meio da Oprah, uma oportunidade que Sara criou para si mesma. Ela também participou de uma temporada do reality show do Richard Branson, chefe do grupo empresarial Virgin, enfrentando todos os medos dela. Ela divulgava seu trabalho em qualquer canto. É isso o que você tem que fazer para ser bem-sucedido. Não pode ter vergonha. Eu tenho muita vergonha de me promover, é algo que tenho que superar. Ela não teve vergonha. Sem querer repetir o bordão, Sara não esperou ninguém escolher ela. Ela escolheu a si mesma em todos os sentidos.

9. **Cuide da aparência.** Não no sentido de ser bonito ou feio. Mas VOCÊ é o melhor promotor do seu produto. Então se seu produto está relacionado à moda, você tem que ser o melhor modelo para exibi-lo. Uma amiga minha está para lançar um creme de pele para mulheres latinas. O creme alisa rugas e uniformiza a aparência da pele do rosto das mulheres latinas. Ela tem uns 40 anos. E garanto: ela não tem uma única ruga e sua pele é radiante. Ela será a melhor modelo para o produto.

Lembre-se, não é que você tenha que ser lindo. Eu sou esquisito, meio geek. Quem melhor para vender um site? Ou pelo menos os sites dos anos 1990 que eu vendia. Se eu parecesse um modelo de passarela, teria fracassado. Em vez disso, eu parecia um gênio da computação meio porquinho (mesmo tendo sido expulso da pós em computação) e, olha, deu certo para mim.

10. **Não tenha raiva.** Pense: "Que bom para ela!" A maioria das pessoas têm raiva de quem é bem-sucedido. Abençoe aquilo que você quer.

Se quiser ter sucesso, você precisa estudá-lo, e não ter raiva ou inveja dele. Se você for invejoso, vai se distanciar do sucesso e deixar o caminho ainda mais difícil. Nunca tenha inveja. Nunca pense que alguém "teve sorte". A sorte aparece para quem está preparado. Nunca pense que alguém não merece o dinheiro que tem. Isso só dificulta atingir a liberdade que você quer. Estou dizendo logo de cara que, quando alguém tem inveja ou ciúmes, nunca vai conseguir a liberdade que procura, mas passará o resto da vida tentando.

11. **Não foque no dinheiro.** Sara teve que contar ao noivo algumas semanas antes do casamento que a Spanx não estava vendendo apenas alguns milhões por ano, mas centenas de milhões por ano. É uma bela diferença, não? E logo antes do casamento.

Um tempo depois, ele contou em uma entrevista que Sara dissera: "Não sei se você sabe quanto sucesso a Spanx faz – e eu faço". Depois que ela contou, ele começou a chorar. "Eu estava tão feliz por ela", disse. Ele tinha vendido uma empresa bem-sucedida de aluguel de jatinhos para a Berkshire Hathaway e não ia nada mal também. Mas isso mostra como o dinheiro tem um papel ínfimo na maneira como Sara se define.

Em uma entrevista à revista Forbes, ela declarou: "Sinto que o dinheiro nos torna uma versão ampliada de nós mesmos. Se você é um idiota, você vira um idiota ainda maior. Se você é legal, fica ainda mais legal. É legal ganhar dinheiro, gastar dinheiro e doar dinheiro".

Nos últimos quinze anos, a única época que eu não olhava minha conta bancária todos os dias foi quando eu estava fazendo algo que amava. Estava na cara que Sara amava a Spanx. O dinheiro rapidamente se tornou uma consequência.

Não significa que você não deva pensar em dinheiro. Mas que, se está pensando MUITO a respeito enquanto monta o seu negócio, ou você não é apaixonado pelo empreendimento ou não está ajudando pessoas com ele. Esses dois pontos já deveriam eliminar as preocupações com a sua conta bancária.

Em resumo: Deus abençoe Sara. Ela vale 1 bilhão de dólares.

Para se tornar um mestre das vendas

Não há faculdade no mundo que vá ensinar você a fazer a sua própria escolha. Não estou fazendo um discurso antiescola. Vamos nos concentrar nas coisas que a escola não ensina, porque são essas coisas que você precisa para sobreviver: como ter ideias (já discutido em capítulo anterior), como vender essas ideias e como fracassar e dar a volta por cima. E daí fazer tudo de novo.

Alguém que não conheço acabou de me escrever e usou a pior técnica de vendas de todos os tempos.

Ele me mandou: "Realmente preciso falar com você. Posso ter de vinte a trinta minutos do seu tempo?"

A resposta é não. Não porque eu me ache bom demais para isso. Ou que meu tempo seja tão valioso assim. Mas essa mensagem sugere que meu tempo não vale nada. Ele não está me oferecendo nada, menos que nada, já que custará de vinte a trinta minutos do meu tempo. Eu poderia assistir meio episódio de *Mad Men*, por exemplo. Ou pesquisar como inserir wi-fi em proteínas.

Essa técnica tem horríveis variáveis, tipo: "Tenho uma ideia ótima e vou dar a você ações se você me der vinte a trinta minutos do seu tempo". Não sei se as ações dele valem alguma coisa, então é o mesmo problema do primeiro caso.

Outro indício de um vendedor ruim é um bom negociador. Isso nem sempre é verdade, mas é verdade para mim. Eu sou péssimo com negociações. Se eu disser "Este carro está à venda por 10.000" e alguém oferecer 8.000, eu dou de ombros e digo "Tá bom".

Quando você está negociando, é preciso dizer muito "não". Quando está vendendo, está sempre tentando achar o "sim". Todo mundo tem um "sim" enterrado dentro de si. Um bom vendedor sabe achar onde está escondido esse "sim" e sabe como trazê-lo à tona. Vendedores muito bons sabem fazer isso de olhos fechados.

Quando você é um negociante, tem que estar disposto a dizer não, independentemente do que o outro lado diz. Portanto, apesar de não serem totalmente opostos, os objetivos são completamente diferentes.

NEGOCIAÇÕES NÃO VALEM NADA. VENDAS SÃO TUDO.

Por quê? Porque quando alguém diz "sim" para você, é meio caminho andado. Mais cedo ou mais tarde, você vai conseguir levar a moça (ou moço, sei lá) na conversa. Se você ficar negociando do lado de fora da porta, talvez tenha que ir embora e tentar a casa seguinte. Isso consome tempo e energia, e mesmo assim pode não funcionar.

Na verdade, não apenas uma "negociação ruim" pode resultar em grandes vendas (e, francamente, prefiro estar na cama do que batendo de porta em porta) como, se você for um mestre em vendas, isso também o levará ao melhor resultado.

Alguns exemplos do meu péssimo estilo de negociação que acabaram dando certo para mim:

A) Vendi minha primeira empresa por menos do que outras empresas de internet estavam cobrando na mesma época. Foi em 1998, a internet ia implodir, mas antes as ações subiram. Talvez eu tenha vendido muito cedo. Realmente foi o que me pareceu durante muito tempo. Mas melhor vender cedo do que quebrar. Às vezes ouço "Por que não fazer um investimento de longo prazo – montar um negócio que dure para sempre?" Pouquíssimos negócios duram para sempre. Daí a expressão "quinze minutos de fama". Não se aplica apenas a pessoas, se aplica a quase tudo.

B) Dei 50 por cento da Stockpickr.com ao TheStreet.com de graça. Vários blogs escreveram que tinha sido um péssimo negócio. Mas, quando alguém é dono de metade da sua empresa, essa pessoa começa a prestar atenção no que acontece. No fim, eles tiveram que comprar a minha parte quatro meses depois, porque não podiam arriscar que um terceiro comprasse a outra metade. Em empresas na quais eles só possuíam 10 por cento, eles acabavam desistindo da participação. Consegui vender quatro meses antes do pico de mercado. Depois, teria sido impossível. Meu único funcionário pediu demissão de tão enojado que ficou com o acordo. Na hora, não pareceu ser a melhor negociação. Parecia que eu era, de fato, um negociador horrível. E sou mesmo. Mas cultivar contatos é mais importante do que matar todo mundo e sugar até o último centavo em uma negociação.

C) Vendi o carro da Claudia por 1.000 dólares a menos do que ela queria. Mas agora o carro já era. Não temos que nos preocupar com ele. Isso vale 1.000 dólares para mim. E deixamos de pagar

600 dólares por mês de estacionamento no centro de Nova York. Na minha conta, são mais 1.600 dólares a mais.

D) Ofereci fazer websites pela minha empresa para o estúdio de cinema New Line Cinema por 1.000 dólares para cada site de filme – menos de um centésimo do que conseguimos para fazer o site do filme *Matrix* – mesmo os sites tendo o mesmo tamanho. Por que fiz isso? Os melhores designers queriam ser contratados para trabalhar nos sites dos filmes. Enquanto isso, eles ficavam até tarde no sábado à noite trabalhando nos sites de grandes companhias de energia que pagavam melhor. Eu não negociei nada.

E) Vendi meus livros no Kindle por quase nada. E distribui livros gratuitamente a pessoas que participavam das minhas palestras ou assinavam minha newsletter. É estúpido? Talvez. Mas consolidou meu nome no mercado. Já doei mais de 100.000 exemplares dos meus livros, além do que já foi vendido. Isso traz efeitos duradouros na minha vida. Sinto isso todo dia.

F) Recebo propostas de compra de espaço publicitário no meu blog todos os dias. Recuso todos eles. Monetizar meu site? Não no meu plano de vida.

O segredo é não ser idiota. Negocie apenas com pessoas para quem você realmente quer vender. Senão tudo se resume só ao dinheiro. A geração de valor é descartada. E venda apenas o que você ama, para quem você ama. Pense sempre: "Qual é o objetivo maior aqui?" Em muitos casos, considerando o objetivo maior, a negociação não é tão importante quanto a venda. Quem se importa se você conseguiu um preço ótimo em um produto que ninguém nunca ouviu falar e não se interessa? Daí surgiu o modelo *freemium* [no qual se fornece o produto ou serviço gratuitamente e se cobra por acessórios, recursos e funcionalidade].

Eis dez segredos para vender mais e melhor:

1. Pergunte-se qual é o valor de longo prazo do cliente.

Quando dou um livro de graça, estou divulgando meu nome. Isso tem um valor de longo prazo que vai muito além dos poucos dólares que eu poderia cobrar. Quando você agrega valor à vida das pessoas (por exemplo, distribuindo conteúdo de qualidade grátis), não dá para medir o retorno que você vai ter. As oportunidades mais estranhas já surgiram por causa da minha honestidade no meu blog. Às vezes parece mágica. Mas tudo bem. Eu gosto de ser um mágico.

2. **Pergunte-se quais os benefícios secundários de ter esse cliente.** Quando fizemos o site do estúdio de cinema Miramax por 1.000 dólares, viramos os CARAS QUE FIZERAM O MIRAMAX.COM! Isso ajudou a conseguir mais vinte outros clientes que valiam muito mais. Eu teria pagado à Miramax pela oportunidade de fazer o site deles.

3. **Aprenda toda a história de seu cliente, seu público, seus leitores e sua plataforma.** Você precisa amar seu cliente. Amar todos os produtos dele. Mergulhe nos produtos. Eu queria trabalhar na HBO porque amava os programas deles, e estudei toda a história do grupo desde os anos 1970, antes de me candidatar a uma vaga lá nos anos 1990.

4. **Vá além.** Faça o primeiro projeto por um preço baixo. Não importa o que esteja estipulado no contrato, coloque pelo menos dois recursos bacanas a mais. Isso EMPOLGA o cliente. Não se esqueça de que o cliente é um ser humano, não uma empresa. Esse ser humano tem um chefe. E ele tem que cair nas graças do chefe. Se você fizer com que seu cliente seja promovido, ele vai adorar você e vai sempre contratá-lo de novo. Não se esqueça de sempre dar um pouco a mais. Um esforço simples que vai render a você um cliente para toda a vida.

5. **Faça o serviço completo.** Um dos melhores investidores do meu fundo de capital caiu em um golpe e quase quebrou. Eu o apresentei a repórteres de todos os jornais, que o aju-

daram a denunciar o esquema. Ele ficou muito agradecido e até investiu mais dinheiro no meu fundo. Quando ele ficava deprimido por causa do ocorrido, a gente conversava por mais de uma hora e eu tentava animá-lo. Eu não era apenas o responsável pelo fundo no qual ele investia, eu era também seu relações públicas e seu terapeuta. Vá além do básico.

6. **Recomende a concorrência.** Pense assim: quais são os sites mais populares da internet? Yahoo e Google. O que eles fazem? Eles fazem a ponte entre o usuário e a concorrência deles, ou seja, outros sites. Isso quer dizer que se você se tornar uma fonte de informação confiável, todos acabam procurando por você; se seu conhecimento tem valor, as pessoas só terão acesso a ele através de você, comprando o seu produto ou contratando os seus serviços.

7. **Seja uma máquina de ideias.** Busque sempre novos projetos. Coloque-se sempre no lugar do cliente e pense em maneiras de ajudá-lo. Quando vendi a Stockpickr.com ao TheStreet.com, o motivo aparente da venda foi que eles queriam o tráfego, a comunidade e a publicidade que meu site gerava. A razão verdadeira é que eles queriam ajuda para criar novas ideias para a empresa. Eu estava sempre tendo novas ideias e conversando com meus contatos no TheStreet.com sobre o negócio deles. Muitas vezes alguém quer comprar a sua empresa não pelo seu produto, mas por você.

8. **Seja presente.** Quando eu queria gerenciar parte do dinheiro de Victor Niederhoffer*, li todos os seus livros favoritos. Escrevi artigos para ele. Bastava ele estalar os dedos e eu aparecia para jantar onde e quando ele pedisse. Se ele

* Victor Neiderhoffer é um famoso gerente de fundo de capital que trabalhou com George Soros [magnata e investidor de origem húngara radicado nos Estados Unidos]. Na época, ele era tão bom que Soros mandou seu filho trabalhar com Neiderhoffer para aprender a negociar na bolsa de valores.

precisava elaborar um estudo que requeria um tipo de programação que estava além da capacidade dele ou da equipe, eu me oferecia para fazê-lo e fazia rápido. Ninguém me pagava, mas no fim das contas ele acabou investindo dinheiro no meu fundo (a taxas ridiculamente baixas, mas não negociei), fato que usei como argumento para angariar mais dinheiro com outras pessoas. Além do mais, eu realmente gostava dele. Eu o achava uma pessoa incrível.

9. **Adquira conhecimento.** Quando estava montando uma corretora de valores, devo ter lido mais de duzentos livros sobre compra e venda de ações e falado com outros duzentos corretores, sem me preocupar com estilos de investimento. Isso me ajudou não só a construir a corretora, como também o fundo de investimento, e finalmente o Stockpickr.com. Eu sabia mais sobre ações e sobre os maiores investidores do que o resto do mundo. Agregar valor foi uma consequência. Quando eu estava no ramo da construção de websites, sabia tudo sobre programação na web. Não havia nada que eu não pudesse fazer. E a concorrência, normalmente comandada por homens de negócios, sabia disso. E sabia que comigo o trabalho sempre seria mais barato.

10. **Ame o seu trabalho.** Você só consegue ganhar dinheiro fazendo aquilo que ama. Se você trabalha das 9h às 18h em um emprego que odeia, significa que está preso numa coleira que deixa você ir apenas até certo ponto e o puxa de volta antes que possa conquistar sua liberdade e sua felicidade. E seu dinheiro. Se você ama alguma coisa, vá em busca do conhecimento e dos contatos, construa um site com recursos que ninguém mais tem, assuste a concorrência, e então seus clientes ficarão deslumbrados.

Por exemplo, eu não gostava de escrever artigos de finanças. Escrevia um artigo para um site de finanças qualquer e repostava no JamesAltucher.com. O tráfego era zero. Aí decidi escrever sobre coisas de que gostava. Voltar às raízes, quando eu amava ler e escrever. Também queria explorar meus fracassos, minhas misérias e minha dor. Em público. Amo ser honesto e intimista. Amo criar uma comunidade, trocar e-mails com os leitores. Há pouco mais de um ano, decidi que ia mudar, me escancarar no JamesAltucher.com e falar tudo o que eu queria dizer e ao mesmo tempo saciar meu amor por escrita, criatividade e leitura. Mais de 4 milhões de usuários depois, estou curtindo mais do que nunca fazer o que amo.

Como virar uma máquina de ideias

O Corpo Mental é o terceiro fundamento da Prática Diária. Não é mais nem menos importante do que os outros três, mas muitas pessoas empacam aqui. Elas se sentam com um bloco de notas e esperam as ideias caírem do céu. Ou ficam esperando a inspiração. Inspiração, na verdade, não existe.

No livro *On Writing* [Sobre a escrita], Stephen King discorre sobre um acidente que o impediu de escrever por várias semanas. Quando voltou ao ofício, ele sentiu a diferença. Ele diz que as palavras simplesmente não se conectavam. O músculo da escrita estava atrofiado. Ele precisou exercitá-lo novamente para continuar produzindo os suspenses best-sellers que vinha lançando nos últimos trinta anos.

STEPHEN KING! Bastou algumas semanas sem prática para tirá-lo do jogo, mesmo sendo um dos melhores do mundo no que faz.

O músculo das ideias não é diferente do músculo da escrita. Nem dos músculos das pernas, na verdade. Se você não andar por duas semanas, os músculos vão atrofiar. E você vai precisar de fisioterapia para voltar a andar.

O músculo das ideias deve ser exercitado todo dia. Mesmo se você tiver ideias todos os dias da sua vida, ele vai atrofiar se parar por duas semanas.

Quais são os benefícios de ter um músculo das ideias funcional? Você vira uma máquina de ideias. Não importa qual seja a sua situação, que problemas você tem na vida, que problemas seus amigos e colegas têm, você sempre achará soluções. E quando seu músculo das ideias estiver no auge do desempenho, suas ideias serão realmente boas, o que permitirá que você leve a vida que quiser.

Demora de seis meses a um ano para uma pessoa se tornar uma máquina de ideias com a Prática Diária do músculo das ideias. Mostro mais a frente como desenvolver essa prática. E de novo: essa prática vai em conjunto com os outros três corpos. Não dá para uma pessoa desenvolver sua máquina de ideias se estiver em um relacionamento ruim ou doente ou se não sentir gratidão em relação ao mundo à sua volta.

Em meados dos anos 1990, tive uma ideia que durou o tempo de tomar duas cervejas. Digo isso porque tive a ideia em um bar, e ela foi rapidamente detonada por dois amigos que estavam comigo.

Eu queria criar um canal de televisão a cabo de reality shows. O gênero estava só começando. Os programas *The Real World* da MTV e *Taxicab Confessions* da HBO eram os únicos exemplos de sucesso na época. No dia anterior, eu tinha ido a um seminário no Museu de Televisão e Rádio sobre o *The Real World*. Todos os participantes da minha temporada preferida (com exceção do Puck, ou

Pedro, que já tinha morrido), estavam lá respondendo perguntas. Percebi que esse tipo de programa era uma forma barata de produzir conteúdo para a TV, e que as pessoas ficavam obcecadas por eles, especialmente quando tinha sexo no meio.

"Que ideia idiota", disse um amigo. "Realidade tem limite." Hoje eu acho engraçado. O outro falou: "Você não tem uma grande emissora de TV. Como vai convencer as empresas de TV a cabo a comprarem a ideia?" Então deixei minha ideia de lado. Guardei-a em uma caixa, que decidi nunca abrir porque não seria capaz de colocar a ideia em prática. Agora TODOS os canais de televisão têm basicamente só reality shows, ou reservam pelo menos 50 por cento de sua programação para passá-los.

Meu problema na verdade era que *eu não tinha confiança*. E não sabia qual era o próximo passo. Em retrospecto, eu deveria ter anotado a ideia, junto com mais dez ideias de possíveis programas, e sugerido o projeto para emissoras de TV de forma a arranjar uma parceria. Teria sido simples e logo teria resultados.

Observação: se o próximo passo é grande demais para você, talvez não seja para outras pessoas. De repente, elas podem saber o que fazer e não ter medo de dar esse passo.

Dois exemplos. Alguém me perguntou uma vez: "Como você sabe quando uma ideia é grande demais?" Respondi que isso acontecia quando eu não conseguia pensar no que fazer a seguir. Falei ainda que, se eu quisesse fundar uma companhia aérea com assentos mais confortáveis, acesso à internet, comida melhor e preços mais baixos, eu teria dificuldades, porque, ainda que seja uma boa ideia, eu não saberia o que fazer depois. Aí eu li sobre Richard Branson.

O selo fonográfico Virgin Records estava lhe rendendo agradáveis 15 milhões de dólares por ano quando ele decidiu que deveria existir uma companhia aérea transatlântica mais confortável. O que diabos ele sabia sobre companhias aéreas? Nada. Além do mais, aviação é um negócio difícil. Três dos maiores investidores da história – Howard Hughes, Carl Icahn e Warren Buffett – sofreram um desastre ao comprar companhias aéreas.

Uma vez, Warren Buffett disse algo do tipo: "A melhor maneira de ganhar um milhão é começar com um bilhão e comprar uma companhia aérea."

Ainda assim, Branson teve a ideia e no mesmo dia ligou para a Boeing para descobrir quanto custaria arrendar um avião. Ele fechou um ótimo negócio, pelo qual ele poderia devolver o avião se a ideia não vingasse. Se desse certo, ele seria um excelente cliente. Imagino que ele tenha ligado também para a Airbus e escolhido a melhor proposta. Depois deve ter pesquisado aluguel nos aeroportos, que devem ter gostado da perspectiva de mais movimento. Depois, imagino, ele contratou pilotos, uma equipe de terra, soltou alguns anúncios divulgando suas novas rotas e pronto.

A Virgin Air vai bem (viajei de Nova York a Los Angeles com eles) e acabou resultando na Virgin Galactic. Ou seja, aquele menino desajeitado, que lançou um selo de música de sucesso, decidiu que queria aviões com assentos mais confortáveis e agora está mandando foguetes ao espaço.

Observe que o importante nessa história é que, no dia em que Branson teve a ideia, ele também ligou para a Boeing e conseguiu um avião. Não apenas ele sabia qual era o passo seguinte como também foi em frente. No meu caso, teria me convencido de que o "próximo passo" para montar uma linha aérea era grande demais para mim. Aí, então, *definitivamente* o projeto seria grande demais para mim. Não é a mesma coisa que "o segredo" – a ideia de que nossos pensamentos criam nossa realidade –, mas é quase isso: eles tornam possível o nosso ideal de realidade. Se você acredita que pode fazer algo, se tem a confiança, a criatividade (desenvolvida a partir do exercício do seu músculo das ideias), as grandes ideias diminuem de tamanho, até não existir ideia grande demais, até não existir nada que você não consiga nem tentar. Como disse Henry Ford: "Você pode achar que consegue ou não – de qualquer forma você está certo".

Em uma escala bem menor, poderia citar alguns exemplos meus, mas vou me resumir a apenas um. Tive a ideia de criar um site de finanças que não tivesse notícias, mas que reunisse vários métodos para inventar ideias de investimento. Mais especificamente, que replicasse as ideias dos grandes investidores. Detalhei as características do site na manhã em que tive a ideia, coloquei a descrição no Elance.com, vários desenvolvedores me contataram com seus preços e contratei um deles. Algumas semanas depois, a primeira versão do site foi lançada, o Stockpickr.com. Sete meses e milhões de usuários únicos depois, vendi uma empresa lucrativa ao TheStreet.com.

Então a pergunta não é "Quando uma ideia é grande demais?", é "Como tornar todas as ideias menores e mais realizáveis?" Você consegue isso exercitando seu músculo das ideias:

1. **Faça uma leitura rápida de capítulos de livros sobre quatro assuntos diferentes todo dia.** Certo dia, em uma manhã, li um pouco da biografia do Mick Jagger e um capítulo de *Regenesis*, um livro sobre os avanços da engenharia genética, um assunto sobre o qual não sei nada. Li um capítulo de *Pequenas delicadezas – Conselhos sobre o amor e a vida*, de Cheryl Strayed. Seu livro mais recente, *Livre*, está na lista da Oprah e também é ótimo. Li um capítulo de *Para viver os mitos*, de Joseph Campbell e, para passar o tempo, joguei uma partida de xadrez online.

2. **Escreva dez ideias.** Para qualquer coisa. Não importa se são ideias para negócios, para escrever livros, para surpreender o parceiro na cama, ideias do que fazer se você for preso por roubo, para criar uma raquete de tênis melhor, qualquer coisa. O importante é que sejam dez ou mais. O objetivo é colocar o cérebro para trabalhar, como já falei.

Quer realmente se exercitar e aprender com meus erros do reality show? Liste agora dez ideias que são "muito grandes" e quais seriam os passos seguintes. Por exemplo, uma ideia seria "lançar painéis solares no espaço para gerar energia solar mais eficientemente". Outra: "Construir geneticamente um micróbio que 'extraia' o sal da água", não sei nem se é possível. "Escrever um livro em um ano e distribuir um milhão de cópias gratuitamente".

O primeiro passo seria escrever o livro. Aí talvez possa angariar recursos via crowdfunding para distribuir gratuitamente. OU, eu poderia talvez imprimir "microexemplares" do livro, que seria lido apenas com um microscópio, mas me custaria apenas duas folhas de papel para imprimir um milhão de cópias. E assim por diante. No caso dos painéis solares, eu poderia ligar para a corporação de tecnologias de exploração espacial SpaceX e ver quanto custa o aluguel no espaço. Para o micróbio dessalinizador... não tenho mínima ideia. Alguém pensou em alguma coisa?

Não precisa dar prosseguimento a essas ideias. O objetivo não é ter uma boa ideia, é ter milhares de ideias ao longo do tempo. Exercitar o músculo das ideias e transformá-lo em uma máquina.

3. **Seja um transmissor.** Dois fazendeiros vivem lado a lado e bebem a água do poço que cada um construiu em sua respectiva propriedade. A água do poço de um dos fazendeiros sempre seca e ele precisa da chuva para não morrer de sede. O outro construiu o poço de forma a captar água de um rio subterrâneo. O poço estava sempre cheio e ele nunca teve que se preocupar.

Como alcançar esse rio subterrâneo? Equilibrando todas as partes da sua vida, ou seja, eliminando situações e relacionamentos ruins, ou fazendo de tudo para se livrar deles; mantendo sua saúde física, limitando (ou eliminando) o álcool, alimentando-se bem e dormindo bem. Do ponto de vista espiritual (uma palavra que eu odeio por causa dos duzentos anos de conotação vazia, mas foi a única que encontrei), percebendo que você não consegue controlar tudo na vida, cultivando uma sensação de entrega ao momento presente, em vez de ficar viajando no tempo atrás de arrependimentos do passado e medos do futuro.

4. **Ative outra parte do seu cérebro.** Eu escrevo todo dia. Às vezes preciso energizar outras partes do cérebro, acender uma chama onde está escuro. Outro dia, Claudia e eu fizemos uma aula de aquarela. Nunca tinha pintado uma aquarela antes. De repente haviam se passado três horas. Meu cérebro nem percebeu o tempo passar. O resultado foram os piores pôr do sol, montanhas e nuvens jamais pintados. Mas meu cérebro estava ótimo.

5. **Promova colisões.** Ideias copulam com outras ideias e geram ideias mirins. Leia outras ideias. Compare suas ideias novas às antigas. Após o Big Bang, o resto do universo foi criado basicamente por colisões. Átomos de hidrogênio colidiram com átomos de hélio repetidas vezes, até que todos os elementos foram criados. Estrelas mortas colidiram com asteroides para criar planetas, a água e, por fim, a vida.

A colisão é o processo vital fundamental do universo. Com as ideias não é diferente. As melhores ideias surgem de colisões entre ideias novas e antigas.

6. **Não se pressione.** É uma questão similar à da exaustão do capítulo "Como escolher você". Às vezes você planta uma semente que não germina. Para falar a verdade, poucas germinam. Se você se pressionar para transformar toda e qualquer semente na planta mais maravilhosa que o mundo já viu, você estará fadado à exaustão e à decepção. Você conscientemente fez tudo que podia, agora é hora de deixar as forças invisíveis da vida trabalharem as sementes. As melhores *vão* nascer se você deixar.

7. **Sacuda a poeira.** Tenho uma rotina diária muito rígida. Acordo, leio, escrevo, faço exercícios, me alimento, faço reuniões (por telefone ou pessoalmente) e então reverto a sequência: me alimento, escrevo, leio e durmo. Em alguns dias, tenho que trabalhar em algo que não está saindo do lugar. Nessas horas,

preciso inovar e sacudir as coisas. Fazer algo diferente. Talvez caminhar às 5 da manhã em vez de ler. Talvez dormir em duas sessões de quatro horas. Talvez passar o dia escrevendo cartas à mão em vez de usar o computador. E, no que se refere a trabalho, basta anotar algumas ideias ou analisar o que fiz até então e deixar quieto de novo. Deixar meu subconsciente trabalhar.

Sacudir as coisas faz o cérebro pensar "O que foi isso?" e, enquanto o cérebro consciente está confuso, o subconsciente entra de fininho e revela aquilo em que vinha trabalhando enquanto o cérebro consciente estava ocupado. É por isso que muitas pessoas ficam inspiradas e têm ideias enquanto estão no chuveiro ou quando estão prestes a dormir ou a tirar uma soneca.

Eis um exercício para colocar seu subconsciente para trabalhar em uma ideia: escreva sua rotina. O mais detalhadamente possível. O que você pode mudar hoje? Como?

8. **Liste as suas paixões de infância.** Quando tinha 6 anos, eu era apaixonado por quadrinhos e por mitologia grega. Na escola e na faculdade, estudei francês e morei na França por um tempo (até montei um escritório lá no meu primeiro empreendimento). Agora não consigo lembrar uma única palavra em francês, exceto *oui*. Mas lembro vividamente todos os quadrinhos e livros sobre mitologia grega de quando tinha 6 anos – desde aquele em que a Legião de Super-Heróis voltou no tempo para ficar com os pais do Clark em Smalville e todos os que vieram depois.

Apenas lembramos daquilo pelo que somos apaixonados. De certa forma, essas coisas são como o campo onde as ideias florescem e são colhidas. Todo o resto seca por dentro e morre.

Tente se lembrar das coisas pelas quais você era apaixonado, começando dos 5 anos até agora. Você vai se surpreender com a quantidade de coisas e com as formas com que essas paixões podem ser cruzadas e combinadas umas com as outras para gerar novas paixões e ideias.

9. **Navegue pela internet.** Acabei de ver um "infográfico" (infográficos estão tomando o lugar das postagens de blogs cada vez mais rapidamente) sobre como ser criativo. Essencialmente, o gráfico dizia "Desligue o computador". Às vezes isso é verdade. Às vezes não. Com todo o conhecimento do mundo a um clique, às vezes é legal ser sugado pelo buraco da Alice e viajar pelo País das Maravilhas. Alguns bons pontos de partida são o BrainPickings.org e o TheBrowser.com. Pode ser que eu não tenha nenhuma ideia a partir do que vejo lá, mas algumas sementes podem ser plantadas. É uma sensação parecida com a que tenho quando vou a uma livraria ou lojinha de museu: pego um monte de livros, sento e passo os olhos. Faz cócegas no meu cérebro e ativa partes que estavam dormentes.

Pedi a algumas pessoas que me ajudassem a ter mais ideias de como continuar tendo ideias. Aqui vão algumas sugestões que recebi. Obrigado a todos que contribuíram.

> "Três coisas para quando não consigo ter ideias:
>
> 1. Faço uma busca no Twitter. Procuro frases como 'eu queria', 'acabei de pagar alguém para', 'é o pior produto', 'é uma empresa terrível', 'tem um site ruim', 'é meu site preferido', 'alguém sabe como'. A partir dos resultados, começo a pensar em como satisfazer as necessidades das pessoas ou como aquele site ou empresa poderia ser menos terrível.
>
> 2. Confiro as ofertas do Groupon. Muitas empresas que usam o Groupon estão em dificuldades para encontrar clientes e precisam de ideias criativas. Dou uma olhada nas ofertas do dia e vejo se consigo achar ideias para promover a empresa ou para melhorar o produto deles.

3. Eu me concentro totalmente e pratico a escrita livre. De modo geral, prestamos a mínima atenção possível ao realizar as tarefas cotidianas. Na hora de gerar ideias, ter insights, fazer observações, meu foco é total. Coloco o cronômetro para tocar em 25 minutos, foco e escrevo livremente sobre um único tópico. Normalmente traz ideias que eu nunca teria imaginado.

Ben Nesvig"

"Gosto de acessar o YouTube e digitar uma palavra relacionada a algo que eu não saiba nada a respeito ou a um assunto que me interessou naquele momento e sobre o qual eu gostaria de saber mais. Aí assisto um vídeo sobre isso. O risco é perder tempo assistindo um vídeo tosco... O lado bom não tem limites. Depois de um tempo seus instintos melhoram e você consegue discernir quais vídeos são melhores. O YouTube, como grande parte da internet, é um baú de tesouro de informações sobre quase qualquer assunto, e só isso já é o básico da geração de ideias e do exercício do músculo da mente.

Pat P"

"Pense em alguém inspirador, mas que você não conhece, e descubra uma maneira de entrar em contato. Mande um recado pelo LinkedIn ou pelo Facebook, procure no Twitter. Mas pesquise sobre a pessoa antes. Garanto que uma conversa rápida ou uma troca de e-mails com alguém inspirador também vai inspirar você. Entrar em contato com alguém que fez o impossível ajuda a perceber que suas ideias são possíveis e inspira você a fazer mais. Não subestime o poder da sociabilidade.

Kevin Faul"

O músculo da ideia é uma consequência natural da Prática Diária. Quando você está fisicamente saudável, quando está rodeado de quem você ama, quando exercita o músculo da ideia e quando cultiva a habilidade de se entregar à realidade, tudo isso é libertador e você consegue se tornar uma máquina de ideias.

Não importa o lugar aonde você vá, as coisas que vê, os problemas que confrontar, você vai ser capaz de reagir na hora a todas as situações que bloqueiam seu caminho. Você será como o Homem-Aranha, que, por causa do sentido de aranha, sabe o que fazer antes mesmo de o problema aparecer. Não precisa acreditar em mim. Só estou dizendo que funcionou para mim e me ajudou a atingir o sucesso. Tente e veja. Talvez funcione para você também.

Dez ideias para você começar

Já dei muitas palestras nas quais distribuí blocos e pedi para as pessoas escreverem suas ideias. Às vezes elas ficam ansiosas, então dou duas diretrizes: 1) Escrever o máximo de ideias possível (não dá para focar em uma única ideia – as pessoas ficam nervosas porque acham que precisam ter a ideia DEFINITIVA); 2) Compartilhar e combinar (chamo isso de “sexo das ideias”: depois de escreverem, os participantes escolhem um parceiro e misturam suas ideias).

Alguns dos resultados foram surpreendentes. Certa vez, em um workshop, pedi às pessoas que criassem títulos de livros, depois combinassem seus títulos com os de um parceiro e criassem um sumário para o primeiro título da lista de combinações. Sempre fico com uma vontade louca de ler todos os livros dessas listas.

Mas a verdade é que a maioria das ideias é ruim. A maioria das minhas ideias é ruim. Quero que você fique numa boa ao ter centenas de ideias ruins. Depois de ter escrito o capítulo "Como virar uma máquina de ideias", decidi montar uma lista de ideias que poderiam ajudar pelo menos um milhão de pessoas. A chave para ideias desse tipo é ter um próximo passo definido. Por exemplo, você não pode simplesmente ter a ideia de uma máquina do tempo a menos que consiga de fato escrever as especificações da máquina do tempo, o que, na real, sou incapaz de fazer. Então tá fora da lista.

"Ajudar um milhão de pessoas" não é de fato uma exigência para uma lista de ideias. Mas é para a lista de ideias que estou fazendo hoje. Ter um critério assim evita ideias geniais como "Lindsay Lohan como a filha da princesa Leia no próximo *Guerra das Estrelas*". De verdade, uma das melhores ideias que alguém já teve (tá ouvindo, J.J. Abrams?). Mas não vai ajudar um milhão de pessoas. (Hum, quer dizer, deixa eu pensar... É, não, não vai ajudar um milhão de pessoas.)

Sinta-se livre para roubar qualquer uma destas ideias. Se quiser me dar uma parte dos lucros, tudo bem também.

1. **Escrevi uma ideia aqui, mas apaguei.** Era muito ruim, a ponto de dar vergonha. Não tenho medo de admitir quando minhas ideias são ruins. Mais sobre isso, adiante.

2. **Índice Klout como moeda de troca.** O Klout é um site e aplicativo usado para medir de 1 a 100 a influência de alguém nas mídias sociais. Pense. Faz sentido. Se você der 5 dólares a uma padaria, significa muito menos do que se o presidente Barack Obama der 5 dólares. Se Barack Obama

comprar um pãozinho por 5 dólares, o lugar vira a "Padaria Presidencial". Os 5 dólares do Obama valem muito mais que os meus 5 dólares. Afinal, dinheiro é só um pedaço de papel. Não importa quem esteja segurando. Klout mais moeda é igual a valor agregado no mundo de hoje. Então faz total sentido que as pessoas com ranking Klout mais alto consigam comprar mais coisas, porque a moeda delas é mais valiosa do que a minha. E quando elas compram coisas que aumentam o índice Klout do vendedor, ele poderá então comprar ou vender mais. Isso cria um mecanismo de precificação social para produtos e serviços.

De toda forma, o mundo está indo nessa direção. Olha a Oprah. A Oprah tem um índice Klout infinito. Se ela comprasse um lápis meu, meu índice aumentaria uns 80 por cento. A classe média está sumindo. Trabalhadores temporários compram produtos com ações da bolsa, e os ricos compram seguidores no Twitter. Já estamos nos transformando em um mundo em que o índice Klout é moeda. Torná-lo realidade encoraja as empresas a criarem mais valor para os consumidores, aumentando os lucros e assim contratando mais pessoas etc. – um círculo virtuoso.

3. **Criogenia para pessoas deprimidas.** Às vezes, sei que "mais cedo ou mais tarde" tudo vai dar certo, mas fico com medo do "mais cedo". Também sabemos que o tempo cura todas as feridas. Mas quanto tempo é necessário? Varia de pessoa para pessoa. Digamos que eu me machuque. No sentido figurado. Alguém me decepciona e fico mal. Talvez precise de um dia ou dois para me recuperar. Não tem problema; entro no meu tanque de criogenia e programo para me acordar no dia seguinte. Se eu perder uma pessoa querida, talvez precise de um ou dois anos. Posso me congelar e acordar no meu aniversário. Aí dou uma olhada, vejo como me sinto e volto a dormir. Por sinal, não envelheço nem um minuto enquanto estou congelado, porque meus genes e cromossomos estão no

zero absoluto. Às vezes o problema é financeiro. Posso fazer um investimento que vai render em cinco anos, mas tenho pouco dinheiro agora. Sem problemas. Acordo em cinco anos. Acordo quando o Twitter for para a bolsa de valores.

4. **Aquecimento global como solução para o aquecimento global.** Não sei como ninguém pensou nisso antes. Dá uma olhada nas próprias palavras: "*aquecimento global*". A superfície do planeta está esquentando. Significa que está liberando energia. Faixas fotovoltaicas (gostou dessa?) captam a energia que sai da superfície para diminuir a nossa necessidade de energia baseada em carvão. Tcharam! Problema resolvido. O mais legal disso é que, se não houver aquecimento global, a tecnologia não funciona. Mas tudo bem! Basta voltar a usar energia comum até o planeta aquecer de novo. Durante um tempo, namorei com uma pessoa que trabalhava na campanha do Al Gore. Oi, Al, se você está lendo isso e ainda gosta de mim, por favor, entre em contato para falar sobre essa ideia. Ele tem um fundo de mais ou menos 10 bilhões de dólares que o sustenta e poderia me ajudar bastante.

5. **Impressão 3D de humanos.** Acho que impressão 3D é a última moda da tecnologia, mas sei lá. Nem sei como funciona. Mas aqui vai o que acho que "Impressão Humana 3D" poderia ser. Digamos que amanhã eu tenha uma reunião na Índia, a 13.000 quilômetros daqui, a qual não vou poder comparecer. Mas quero muito ir. Coloco minha roupa especial e ligo. Na sala de reuniões em Bangalore, outra roupa especial se abre. Abre os olhos. Na minha tela, dentro da minha roupa, eu vejo o que os olhos veem. Mexo meus braços, e o avatar mexe o braço. Eu falo, e o avatar fala com a minha voz. Videoconferências nunca substituirão a presença em reuniões. Isso seria um tipo avançado de videoconferência, mas a mente dos participantes da reunião se confunde e acha que estou lá na sala também. É como colocar um corpo humano em um robô,

muita gente acha que é quase um humano de verdade, mesmo sendo apenas um computador. É uma ideia que eu mesmo poderia inventar. E tenho a motivação. Não gosto de viajar. Gosto de ficar em casa e não fazer nada. Com essa invenção, posso viajar o mundo inteiro, posso ir até a Ilha de Páscoa. Seria o avô do teletransporte.

6. **Propaganda dentro de casa.** Parece feio: uma propaganda na parede da sua casa. Talvez emoldurada como um quadro ou um espelho. O lance é: o valor que pago pelo imóvel diminui se eu concordar em colocar anúncios na casa toda. Por exemplo, estou sentado na privada e vejo "ofertas do dia" projetado no boxe do banheiro. As agências publicitárias poderiam subsidiar parte do valor do imóvel. E mais: como parte disso, imagine que elas utilizem um software para ouvir minhas ligações. Esqueça "mídia social". As agências têm que se atentar para o que me interessa quando estou DE FATO fazendo a social, por exemplo, falando ao telefone. Se digo a um amigo: "Adoraria ir à praia este verão mas não posso pagar", ofertas de viagens para o litoral são projetadas no meu boxe. Todos ganham nessa. Eu ganho dinheiro enquanto falo com os amigos e pago menos pela minha casa. As empresas vendem mais, melhoram a economia, contratam mais gente, e a vida vai de "ruim" para "boa".

7. **Hotspots de felicidade.** Faz dez anos que recebo propostas do tipo "este produto avisa quando seus amigos estiverem por perto". Realmente acredito que agora eles vão funcionar, graças aos celulares modernos de hoje. Mas esqueça isso. Quando quero ver meus amigos, não sou um idiota. Eu sugiro "Oi, vamos tomar um café?" Mas vamos melhorar esse esquema de localização. Estudos mostram que é melhor estar cercado por pessoas positivas do que por negativas. As positivas colocam você para cima e as negativas, para baixo. Então vamos lá. Todo mundo passaria a

usar um fone de ouvido que escaneia constantemente suas ondas cerebrais. Os dados são comparados a uma base de dezenas de milhares de cérebros rotulados "feliz" ou "triste" e usam técnicas de reconhecimento de voz para classificar o usuário como "feliz" ou "triste".

AGORA, no Google Maps do meu telefone vejo várias sombras. As cores mais claras indicam as áreas onde as pessoas mais felizes estão. As mais escuras, onde se concentram as negativas. Então, se estou tentando decidir "Hummm, vou para o centro ou para o bairro?", posso consultar meu Mapa da Felicidade e ver em que área há pessoas mais felizes. E daí que não somos amigos? Farei novos amigos no hotspot feliz!

8. **Taxa de desemprego de 40 por cento.** A verdade é que a maioria das pessoas não deveria trabalhar. Por quê? Além das várias razões sobre as quais já discorri neste livro, simplesmente porque a maioria das pessoas é ruim no que faz. Não é uma crítica. É um fato. E além do mais, robôs são melhores. Por isso a Apple está levando a linha de produção de volta para os Estados Unidos, muitos chineses estavam se matando nas fábricas. Robôs não se matam, e fazem o trabalho mais rápido.

Então, o que a sociedade realmente precisa é de 40 ou 50 por cento de desemprego. Ouve só, porque minha solução começa comunista, mas termina libertária. Basicamente, as empresas são incentivadas a substituir todos os humanos por robôs. O excesso do lucro resultante das demissões seria tributado pela metade da alíquota. Um fundo governamental juntaria todos esses "impostos dos robôs" e os usaria para subsidiar quem foi demitido (assim como muitos fazendeiros recebem para não trabalhar nos Estados Unidos). Os subsídios acabam em três anos. Então a pessoa tem três anos para abrir um novo negócio. Com sorte, o novo negócio vai usar robôs e não humanos, do contrário o empresário não conseguirá competir com os concorrentes que possuem margens maiores. Se a pessoa não conseguir abrir um negócio, vai acabar fazendo bico em algum lugar. Não digo isso friamente. É assim que o mundo funciona. É por isso que a classe média está desaparecendo. Robôs são a nova classe média. E todos serão empreendedores ou trabalhadores temporários. Não adianta me xingar, só estou tentando arranjar uma maneira de aceitarmos de fato o desemprego (ou subemprego) de 40 por cento (já estamos com 20 por cento).

9. **Namoro cerebral.** Essa ideia difere levemente da número 7. Nenhum site de relacionamento funciona. As taxas de divórcio estão subindo. Muitas pessoas não estão felizes e acabam traindo o parceiro. Um amigo meu recebeu os resultados de um site que analisa seu cuspe e diz tudo o que você não sabia sobre você mesmo ou coisas que já esqueceu, como com que idade você sentiu vergonha pela primeira vez. Mandei meu cuspe num dia e, no dia seguinte, vejo que o preço do serviço caiu de 299 para 99 dólares. Me ferrei de novo na vida, mas me arrependo? Claro que não. É assim que funciono.

Meu amigo recebeu o resultado, e perguntei qual foi a coisa mais importante que ele descobriu sobre si mesmo. "Que meu pai é realmente meu pai", disse ele. "Um número surpreendentemente grande de pessoas está descobrindo que o pai biológico não é o pai de verdade." Por quê? Porque pessoas erram. Elas se envolvem em relacionamentos confusos e usam soluções confusas para sair deles. Ou pior, elas têm filhos.

Vamos então resolver isso e acabar com todo esse sofrimento. Escaneie o cérebro de mil casais felizes após quarenta anos de casamento. Sabe aqueles casais que dizem "Bom, a gente passou por problemas, mas sobrevivemos"? Separe eles num canto. SEM PROBLEMAS. Eles estão por aí. São só mil casais dos 2 bilhões que existem no planeta. Agora, passe para a comparação dos dados dos cérebros.

Para alguém contratar o serviço de namoro cerebral, tem que mandar a tomografia do próprio cérebro. O sistema compara o cérebro desse cara com o de milhares de mulheres da base de dados, depois com a base de dados dos mil casais felizes. A combinação que for mais parecida com o padrão dos casais felizes é a vencedora. Preço: 10.000 dólares. A tecnologia já existe, pessoal. Por que os empreendedores ainda não foram atrás disso?

10. **Botão "Curtir" nas lentes de contato.** Acabei de descobrir que existem lentes de contato que podem ler textos. Isso é legal. Gosto de estar sempre me comunicando com todo mundo que conheço o tempo todo. Mas vamos dar um passo além. Vamos dizer que conheci alguém, que gostei da pessoa e ta-dá!: pisco duas vezes e minha lente registra o "curtir". Ao longo do dia, quando eu encontrar outras pessoas, elas poderão ver: "James recebeu 158 curtidas hoje". Se meu dia estiver sendo ruim, talvez sejam só cinco. Tudo bem. Os outras vão evitar cruzar o seu caminho nesses dias e sairão da frente. A vida é estressante e talvez você precise de um tempo. Amanhã estará melhor, curtirá mais encontros de novo. Não quero apenas "mídia social". Quero VIDA social.

Antes do 11, quero explicar o 1. A ideia original era "proteínas com wi-fi". Quando tribos nômades se deslocavam 15.000 anos atrás, deviam pensar "Onde tem comida?" Hoje em dia, nas minhas andanças erráticas (quer dizer, pelos Starbucks de Nova York), penso "Cadê o wi-fi?" A tecnologia wi-fi substituiu a comida na nossa mente. Então proteínas com wi-fi resolveriam o problema, certo? Mas o problema é que, por mais que eu pense, não consigo imaginar como fazer isso. Em todas as outras ideias eu consigo pensar no próximo passo. Ideias são fáceis, o importante é a EXECUÇÃO. Pesquisei tudo que pude sobre biologia molecular na Wikipedia e simplesmente não consigo descobrir como produzir proteínas com wi-fi. Então apaguei a ideia. Não é boa. Por sinal, se você for o Ridley Scott, me ligue para licenciar alguma dessas ideias para um filme de ficção científica.

11. **Eu não achei um 11.** Meu cérebro está doendo. Podem dizer que ando meio desligado ou algo parecido. Mas se você arranjar uma boa ideia para o 11 e me ajudar a completar dez ideias, agradeço; e se eu construir um império de alguns bilhões a partir dessa ideia, darei a você uma parcela pequena da minha empresa e parte da minha influência social. Por favor, siga-me no Twitter para aumentá-la. Eu amo você.

Não tenha opiniões

Você realmente acha que vai mudar a opinião de alguém? Sempre me pergunto quem são essas pessoas que passam o dia inteiro nos comentários de sites da internet se enfurecendo e tentando provar que a sua opinião é "A" opinião que todos deveriam ter.

Ainda assim, somos tragados para esse turbilhão. Um adolescente anônimo de Dubai solta uma opinião que é mal interpretada e, quando a gente vê, já se passaram 48 horas e ainda estamos grudados no computador, vidrados na tela, o tempo todo argumentando em vão com esse troll da internet. Eu queria poder dizer: "Entrevistei 87 trolls e esta é a verdade sobre eles." Mas não dá. Porque trolls desaparecem. Somos 7 bilhões de pessoas no mundo. O cara que não concordou com você é uma delas. Boa sorte na tentativa de encontrá-lo.

Para que serve ter uma opinião? Para provar que você está certo? Errado.

Às vezes sou tragado. Às vezes escrevo um artigo e as pessoas fazem os comentários mais cruéis. Não tenho ideia de quem elas são ou de quais são os problemas delas, mas mesmo assim me sinto na obrigação de responder. Sou tragado. Me sinto tão mal com o que dizem. E quando finalmente me dou conta, já se passaram três dias e penso "Que diabos foi aquilo?"

Estou tentando eliminar coisas. Não apenas bens materiais dos quais não preciso mais, ou de que nunca precisei, mas tudo aquilo que somos ensinados desde o berço a considerar "importante" ou pertencente ao "nosso estilo de vida" e que de fato se tornou um fardo e uma perda de tempo, porque nos agarramos a essas coisas e as protegemos como se fossem mais valiosas do que o tempo e a energia que gastamos nessa proteção.

As opiniões são uma forma de se prender ao passado. A um sistema de crenças que nossos pais nos instilaram, que nosso sistema educacional nos "ensinou", que os mestres corporativos nos impuseram, que os colegas nos enfiaram goela abaixo, ou a qualquer outro tipo de lavagem cerebral/programação que tenha sido implantada em nosso cérebro. Se eu tiver uma opinião, pode ficar com ela, pelas seguintes razões:

1. **Ninguém muda de opinião.** Por exemplo, se eu digo algo como "os jovens não deveriam ir para a faculdade", ou você concorda ou discorda. Poucas opiniões mudarão, não importa o tamanho da minha razão (e eu tenho razão). Tenho outras opiniões: comprar casas NUNCA é uma boa ideia. Votar é uma estupidez. Shakespeare é chato. NENHUMA guerra se justifica.

Os estados de Wyoming, Dakota do Norte e Montana deveriam ser entregues aos judeus, e eles deveriam se mudar de Israel para os Estados Unidos. Pronto! Vai brigar por causa dessa.

2. **Daqui a cem anos, todos aqueles que lerem este livro estarão mortos.** Eu sei que tem um batalhão de gente de jaleco trabalhando pela *ciência* para mudar isso. Mas, vai por mim, não vai dar certo. Ciência tem limite. E com toda essa porcaria que você come, não espere estar vivo daqui a cinquenta anos, quem dirá cem.

Um ano atrás, um cara de quem eu não gostava morreu. A gente brigava o tempo todo por causa das nossas divergências. Agora ele está morto. Acho que ganhei então. Foi incrível ver quantas pessoas escreveram homenagens longas e exageradas para ele, depois da morte. Um cara me contou que ele tinha sofrido abuso sexual por parte do fulano que morreu, e foi quem escreveu a mais extravagante de todas. Talvez os dois tenham transado e tenha sido ótimo. Não sei. Não tenho opinião sobre isso.

O que me traz à pergunta mais importante: e se brigarmos e você morrer? E se você tiver uma parada cardíaca enquanto estiver brigando comigo? Seria minha culpa então? Eu não quero esse tipo de culpa na minha consciência.

3. **Nós contra Eles.** A World Wide Web, a nossa amiga internet, criou essa gosma pegajosa de "nós" contra "eles". O que acontecia antes dos espaços para comentários? Antes da opção "responder"? Ou do hipertexto?

Sempre que alguém faz um comentário raivoso, fico imaginando: como será que foi o primeiro beijo desse cara com a esposa? Será que ele sentiu o coração se encher de chocolate derretido? Será que ele pensou "Neste momento, sou o cara mais feliz do mundo"? Teve uma ereção? Será que ela beijou seus lábios suavemente, depois suas bochechas e seu pescoço? Aí então, com a ereção intacta, ele entrou na internet como "anônimo" e postou "James Altucher é um babaca de merda"?

4. **Para que educar as pessoas?** No pôquer, dá para reconhecer um amador quando ele perde uma mão. Ele fala para a pessoa que ganhou a rodada: "Você é tão estúpido! Jogou errado a mão. Só teve sorte". E talvez tenha razão. Mas é amadorismo (e insegurança), porque você QUER que a pessoa jogue errado a mão. Você quer que os outros joguem mal em todas as rodadas, para que a probabilidade esteja a seu favor, se você não enlouquecer antes. O que você ganha alardeando e explicando a torpeza dos outros?

Preocupe-se apenas com a sua felicidade, que não precisa ser limitada pela estupidez de mais ninguém, a não ser que você deixe.

5. **Eu poderia estar lendo um livro.** Tempo também é um recurso escasso. Você pode responder a um comentário no Facebook com uma opinião que não vai fazer a menor diferença daqui a cem anos, ou você pode fazer outra coisa. Agora mesmo. Você pode dar uma caminhada pela praia. Pode beijar alguém. Ou pular em uma cama elástica.

Há algumas semanas, fui a um lugar onde tinha uma cama elástica. As criancinhas pulavam e faziam piruetas. Eu queria fazer a mesma coisa. Mas sou velho demais. Crianças não têm medo de dar cambalhotas, de quebrar o pescoço e ficar paralisadas para o resto da vida. Mas eu, assim que dou o primeiro pulo, só consigo pensar no meu pescoço descolado do resto do corpo. Se eu daria qualquer coisa para voltar a ter a idade em que ainda fazia xixi na cama, mas conseguia dar uma cambalhota na cama elástica? Não. Nunca. Seria perda de tempo. Mas me amo mesmo assim.

6. **Solidão.** Acho que a maioria das pessoas briga porque se sente sozinha. Não há nada que possamos fazer em relação à

solidão no mundo material. Estamos presos neste corpo desde que nascemos. Mas tentamos. Queremos que as pessoas concordem conosco para nos sentir bem com nós mesmos por um segundo, para estabelecer uma conexão e fazer amor delicadamente.

Só que essa última parte não acontece. Mas achamos que sim. Há formas melhores de combater minha solidão em vez de me agarrar a uma opinião que me torne igual a 49,9 por cento do mundo.

7. **Estou sempre errado.** Nunca tive a opinião certa. Nem sei o que é ter uma opinião certa. Quando escrevi, em outro livro, que nenhuma guerra havia sido justificada, alguém mencionou uma guerra na Polinésia da Era Antes de Cristo, ou Guerra do Peloponeso, não sei, uma guerra qualquer, 2.000 anos atrás. Não lembro; não estava prestando atenção na porcaria da opinião do cara. Tá vendo? É isso o que acontece com as opiniões. Até eu caio nessa.

Opinião é igual dinheiro: não importa o quanto você tenha, sempre há alguém que tem mais. E que não tem medo de se exibir. Eu não tenho autoridade em nada. Minha educação é impossivelmente ultrapassada. E minha filha, que ainda é uma criança, vive me corrigindo. Outro dia tentei convencê-la de que os Estados Unidos eram uma república, e não uma democracia. Mas ela não mudava de opinião (ver número 1 desta lista), mesmo que eu estivesse lhe contando um FATO. Quando dou uma opinião, sei que aquela opinião funciona para mim, naquele momento. Mas é só. Não preciso lutar sempre pela glória.

8. **Prenda a respiração.** Tente prender a respiração por trinta segundos apenas. Só isso. Tente agora, enquanto lê esta linha. Agora responda... no 29º segundo, as opiniões valem alguma coisa?

9. **Menos.** Estou tentando ter menos coisas na vida. Não significa só ter menos bibelôs brilhando na estante. Inclui também ter menos coisas que me chateiam. Menos pessoas que me incomodam. Menos arrependimentos sobre coisas que já estão enterradas. Menos ansiedades sobre um futuro que pode nem vir a existir. Acho que se eu mergulhar fundo o suficiente e jogar fora uma coisa por dia, acordo no dia seguinte mais em paz. Não preciso ter tantas opiniões. A briga continua sem a minha participação.

10. **Enlouquecido.** Gosto de fazer esse exercício toda vez que julgo algo: mudo a pontuação desse julgamento. Troco a exclamação por uma interrogação. "Ela tem que fazer isso!" vira "Ela tem que fazer isso?" Ou "Obama deveria legalizar o crack!" vira "Obama deveria legalizar o crack?" E, tenho que admitir, "Ninguém deveria cursar o ensino primário porque é um campo de concentração de lavagem cerebral disfarçado de serviço de babá de luxo!" vira "Sério?" Tente. É legal. Passe um dia enlouquecido. É muito mais agradável.

"Aquele cara não deveria me criticar!" vira "Aquele cara não deveria me criticar?" Vivemos em um mundo estranho. Todo dia há um labirinto a ser explorado. Pistas a desvendar. É como acordar na cadeira do dentista e ser jogado na rua. A luz é estranha, seus olhos estão dilatados (por causa daqueles colírios que os dentistas pingam quando estamos inconscientes), você está dopado, todos estão ocupados e andando à sua volta, usando agora a moeda da infelicidade para alcançar futuros gloriosos um dia, quem sabe.

E você se pergunta, o que acontece se eu me sentar aqui? Aproveitar o sol? Se eu der risada na cara dessas pessoas dilatadas e difusas? Se eu chorar até cair no sono nos seus braços, antes de você ficar zangado de novo e tentar me bater e me estrangular com o fio do abajur?

O importante é: não se concentre nas coisas do mundo material que você não pode controlar nem mudar se pode focar na sua saúde, no seu mundo interior, nas coisas que importam.

Como produzir o hormônio de Deus

Tenho nojo de mim mesmo. Quando tinha 6 anos, dava risada da cara de um garoto mais gordo que eu. Aos 7, tirava sarro de um garoto chinês. Ele era o único chinês do bairro. Eu era um racistazinho de 7 anos. Ele ficou tão abalado que o diretor veio falar comigo. O castigo: andar juntos no ônibus todos os dias. Ele ficou mais chateado com isso do que eu.

Aos 9 anos, fui pego roubando figurinhas de futebol, pondo fim a uma carreira longa e bem-sucedida de roubos que incluíram de tudo, desde balinha e livros do Snoopy a revistas *Mad* e figurinhas de beisebol. Meus pais ficaram tão bravos que cancelaram minha festa de aniversário. E nunca me deixaram ter outra. Até hoje não faço festas de aniversário. Porque roubei uma figurinha de beisebol.

Fiz muitas coisas. Bem mais tarde. Eca. Mal consigo pensar nisso, as coisas que eu fazia. Eu me transformo em um psicopata ou um sociopata quando me empolgo. O pior de tudo, vou ao banheiro. Nunca vi nada mais nojento que meu próprio corpo humano usando o banheiro. Eca.

Ô, pessoal do Google, preciso falar com vocês sobre isso! Vocês estão fabricando um carro que dirige sem motorista. Óculos que ligam meu cérebro à internet. Por que não arranja uma maneira de eu não precisar mais cagar? Tipo, não dá para usar óculos que façam fotossíntese do sol e transforme luz em alimento? Nutrição sem desperdício. Por que, com tudo que como, tenho que gerar lixo? É quase a prova de que o diabo existe.

Pior ainda, às vezes esse lixo fica preso. Se você ainda não tem minha idade (44), daqui a pouco vai saber do que estou falando. Fica preso lá para sempre. Troquei de dieta recentemente. Sem carboidratos. Sem açúcar processado. Nem mesmo essas coisas "sem glúten", que acho tudo balela. E tenho que admitir, a qualidade do que sai de mim melhorou muito. Não me sinto mais entupido.

Então, tá. Copo meio cheio, certo?

Deixa então eu contar a má notícia, apesar de não parecer tão ruim assim. Nossos ancestrais alienígenas que nos criaram também criaram ferramentas simples (chamemos de "gatilhos") para reprogramar nosso corpo para ser feliz. O que significa ser feliz? Significa várias substâncias químicas sendo manipuladas pelo corpo todo. O nível de cortisol diminui. Cortisol é o hormônio do estresse. Então, por exemplo, se você estiver sentado olhando preocupado para a tela do computador e seu chefe gritar com você, seu nível de cortisol vai lá para o teto.

Em outras palavras, seu corpo quer fazer o que teria feito há 20.000 anos (um microssegundo na nossa história evolucionária) e basicamente sair correndo o mais rápido possível, ou fisicamente destruir o que assusta. Matar ou correr. Repare no "OU". Não há um meio termo que diga "Não se mexa e continue olhando para a tela enquanto ferve de raiva e frustração gratuita". Isso não estava nos planos evolucionários. Provavelmente foi o que os Neandertais fizeram – e olhe o que aconteceu. Eles morreram. Todos eles.

Então, o que fazer nos tempos modernos? Você senta, olha para o computador, escreve algumas palavras, e seu cérebro se distrai. Você não consegue pensar. Seu nível de cortisol está nas alturas e nada o está extravasando. É terrível. O cortisol precisa ser extravasado. Do contrário, você estará completamente ferrado. Pode acabar com câncer, doenças cardíacas, derrames, Alzheimer e tudo a que tem direito.

E se você for como eu – e a maioria das pessoas – provavelmente isso rola diariamente. O que acontece é o seguinte: o nervo vago estende-se do cérebro até o estômago e atinge (quase) todos os órgãos que encontra pelo caminho. Ele fica inflamado quando seu nível de cortisol fica muito alto por muito tempo. O nervo vago basicamente causa todas as doenças conhecidas do ser humano. O nível alto de estresse causa inflamação, assim como comida ruim, cigarro etc. Você já sabe.

O que suprime a inflamação? Oxitocina, outro hormônio que o corpo adora produzir. A oxitocina é liberada durante dois acontecimentos muito importantes, que permitem a sobrevivência da raça humana. Ambos têm vários efeitos colaterais benéficos: a) A oxitocina é liberada quando se tem um orgasmo. Para os homens, curiosamente, só é liberado quando se tem um orgasmo com a pessoa amada; b) A oxitocina é liberada quando a mulher entra em trabalho de parto. Ajuda a alongar a cérvix uterina para diminuir a dor. Para mulheres, claro. Para homens, quando a cérvix começa a se expandir é o começo de uns nove anos de agonia.

Basicamente, a oxitocina é o hormônio que está presente nos momentos críticos de criação da vida. É o "hormônio da vida". Também ajuda a diminuir o nível de cortisol – sabe aquela sensação de relaxamento depois do sexo? – e a inflamação do nervo vago. (Eu meio que gosto dessa palavra: vago. Me lembra "vaginal".)

Ah, não vou colocar todas as pesquisas aqui. Depois você procura no Google. Mas, basicamente, há várias maneiras de fazer o corpo liberar oxitocina. Os benefícios são simples: você se sente melhor e vive mais tempo, diminui o estresse e é mais feliz.

1. **Doar dinheiro.** Pelo visto mostrar compaixão de forma visceral, como doar dinheiro, está ligado a níveis mais altos de oxitocina. Acho que doar para a caridade não é o melhor caminho. Prefiro meu método para ser um super-herói, a seguir.

2. **Abraçar.** Tocar as pessoas e abraçá-las libera oxitocina – abraços são mais poderosos que o simples contato, e um abraço em quem você ama é mais ainda. Então um abraço é melhor do que um aperto de mão. Mas quase tão bom quanto abraçar é se imaginar sendo abraçado ou recebendo cafuné de quem você ama. Hum. É engraçado como o cérebro faz isso.

3. **Curtir no Facebook.** Gosto de passear pelo Facebook e de vez em quando curtir a foto de um amigo qualquer de trinta anos atrás. Nunca, nem em um milhão de anos, teria ligado para essa pessoa e dito: "Como o seu bebê é fofo!". Mas curtir a foto é a minha maneira de me conectar com alguém de quem me senti próximo em algum momento da vida, mesmo que fosse só porque sentávamos lado a lado no Ensino Médio. E adivinha? Usar as mídias sociais dessa forma libera oxitocina. Você sabe que se sente bem quando faz isso. Faça mais vezes. Em especial, "curta" todas as postagens do meu blog no Facebook. (O engraçado é que alguém de fato fez a pesquisa científica e demonstrou esse efeito. Não a parte de curtir todos os posts do meu blog, mas do Facebook em geral. Apesar de que curtir os posts do meu blog certamente libera oxitocina. Você pode começar agora se quiser.)

4. **Dar risadas.** Vou contar meu segredo pré-encontro. No breve período em que estive solteiro entre um casamento e outro, eu usava uma técnica antes de sair com alguém: assistia a um

filme com o Michael Cera ou a uma comédia stand-up com o Louis CK. Eu ria, liberava oxitocina aos montes, depois ia para o encontro, com meus hormônios sexuais em chama. É algo a mais. Por um tempo, eu era mais engraçado, tinha uma meia-vida de mais ou menos duas horas e meia. Sabia que depois de quatro horas eu seria entediante novamente, então o encontro tinha que terminar antes. (Eu fazia isso antes de palestras também.)

5. **Fazer uma caminhada.** Observe que eu não disse corrida. Correr é ótimo para acelerar o metabolismo, e alimentar-se bem também é. Mas, pelo menos para mim, correr é dificílimo. Eu odeio. Só que amo caminhar. Caminhar sob o sol. O sol traz nutrientes. E meia hora não vai matar você, apesar do que o pessoal do aquecimento global diz. Caminhar ao ar livre, como você pode imaginar, está estatisticamente ligado a níveis mais altos de oxitocina. Você pode dizer "Bom, não dá para eu caminhar, tenho reuniões o dia inteiro". Se puder, tente fazer uma "reunião caminhada". Estreita o relacionamento com a pessoa com quem você vai se reunir, e pode até acontecer um imprevisto pelo caminho (adivinha – pesquisas científicas mostram que participar de uma aventura com alguém também libera oxitocina. Acho que é porque, se você passar por um aperto ao lado dessa pessoa, vai se sentir mais seguro com ela depois). A última vez que fiz uma "reunião caminhada" com um amigo, um cara dentro de um carro começou a gritar comigo e eu o chamei para a briga (com um sorriso no rosto). Meu amigo teve que me tirar dali enquanto o cara estacionava o carro e se preparava para me matar. Foi legal. Uma aventura bem empolgante.

6. **Dar telefonemas.** É legal conversar com um amigo. Eu não tenho muitos, umas três pessoas, na minha agenda. Talvez quatro se eu forçar a barra. Talvez cinco. Não sei. Talvez cinquenta. Gosto de muita gente, mas tenho vergonha de ligar. Talvez devesse. E então bater papo por alguns minutos. Como

fazíamos quando éramos jovens. "Oi, como você está? O que tá rolando?" Isso é legal. É como dar um abraço de voz em alguém que gostamos. Abrace pessoas com a sua voz hoje.

7. **Inspirar confiança.** Essa é difícil. Você não pode forçar pessoas a confiarem em você. E confiar em alguém não libera oxitocina, mas ter a confiança de alguém sim. Então leve a vida de maneira que mais e mais pessoas confiem em você. Adivinha: você será considerado mais carismático se pessoas confiarem em você do que se não confiarem. Por que não tentar isso? Como ter a confiança de mais pessoas? Meu Deus, por que tantas perguntas hoje? Minhas mãos estão cansadas. Já escrevi demais.

8. **Ouvir música.** Apenas deitar e ouvir música já libera oxitocina. Por isso mulheres em trabalho de parto são incentivadas a ouvir música tranquila. Por isso pessoas ouvem músicas tranquilas durante o sexo. Nem sei o que significa música tranquila. Fico me lembrando de um grupo de R&B dos anos 1990, o PM Dawn. Mas com certeza há exemplos melhores (Spandau Ballet?).

9. **Comer.** Eis a minha refeição rica em oxitocina: ovos misturados com banana e pimenta. Cada ingrediente reconhecidamente libera altos níveis de oxitocina. Então por que não comê-los todos juntos: doce, salgado, apimentado, uma fruta e uma proteína; tudo ótimo. Coma um prato grande disso e só. BAM! Você está pronto para o próximo surto de oxitocina.

E, finalmente:

10. **Respirar.** A respiração profunda hipnotiza seu corpo e deixa tudo calmo. E, olha só, você não está sendo perseguido por bodes selvagens. De certa forma, tudo está calmo. Quando o corpo está calmo, a mente também está, e a oxitocina

é liberada. É como se o corpo dissesse que tudo está certo quando se respira profundamente. Então é possível ser feliz.

Isso tudo são boas e más notícias.

A boa notícia é que existe uma substância química no seu cérebro que, quando liberada, faz você se sentir bem por duas semanas. Se muito dela for liberada, ou você vai sentir que está tendo um orgasmo por duas semanas, ou, sei lá, que sua cérvix está se expandindo por duas semanas. Não faço a mínima ideia.

A má notícia é exatamente a mesma. Uma substância QUÍMICA faz você se sentir bem por duas semanas. Em outras palavras, nosso corpo não é muito melhor do que os cachorros de Pavlov, salivando quando o estímulo certo é disparado no nosso cérebro com 200.000 anos de evolução acumulada. Não somos melhores do que os cachorros. Nem do que as águas-vivas que engatinharam para fora do oceano e criaram tentáculos, depois braços, depois cérebros.

Esqueça tudo sobre autoajuda. É tudo lixo. Tudo se resume a uma substância química bobinha. Ultimamente fala-se muito da partícula bóson de Higgs, a "partícula de Deus". Bem, oxitocina é então o "hormônio de Deus".

Dito isso, vou fazer tudo que listei acima. Preciso do meu corpo em funcionamento. Preciso me livrar do lixo mental, do lixo físico e do lixo emocional. Por que não?

Mas, no fim das contas, é o lixo espiritual que quero descartar. Como fazer isso? Como cumprir esse desejo peculiar de não querer ter desejos? Porque, quando não se espera nada, você tem a imensa satisfação de ter tudo o que quer. Como chegar a esse ponto?

Não é oxitocina. Não vou cair nessa. Mas se isso bota meu lixo mental e emocional para fora, tô dentro. Ser feliz é um bom começo. Mas a oxitocina é apenas a flor. E não se consegue enxergar a flor sem luz. O objetivo é ser a luz.

Os sete hábitos das pessoas medíocres altamente eficazes

Eu sou bem medíocre. Tenho vergonha de admitir. Não estou sendo sarcástico nem autodepreciativo. Nunca fiz nada que se destacasse, do tipo "Uau! Esse cara chegou no espaço" ou "Esse cara escreveu um best-seller!" ou "Se o Google tivesse pensado nisso!" Já tive alguns sucessos e alguns fracassos (bem documentados), mas nunca atingi o objetivo que determinei inicialmente. Sempre escorreguei no meio do caminho, para fora do caminho de tijolos amarelos, para dentro da selva.

Já comecei muitas empresas. Vendi algumas. Fracassei na maioria. Investi num monte de start-ups. Vendi algumas, fracassei com outras, e a justiça ainda não deu o veredito sobre umas tantas. Já escrevi livros, a maioria dos quais não gosto mais. Mas posso dizer que, no geral, tudo que fiz foi caracterizado pela mediocridade, pela falta de uma visão mais ampla, e todo o sucesso que tive poderia ter vindo tanto da sorte quanto do esforço.

Dito isso, todas as pessoas merecem ter sorte. Não podemos todos ser grandes visionários. Não podemos todos ser Picassos. Queremos montar um negócio, fazer nossa arte, vendê-la, ganhar algum dinheiro, criar uma família e tentar ser feliz. Minha sensação, baseada na minha própria experiência, é que almejar a grandiosidade é o caminho mais rápido para o fracasso. Para cada Mark Zuckerberg, existem mil Marcos Zuckermans. Quem é Marcos Zuckerman? Não tenho a mínima ideia. Esse é exatamente o meu ponto. Se você for um Marcos Zuckerman e estiver lendo isso, peço desculpas. Você apontou muito alto e errou o alvo. Na sua volta para a atmosfera, o escudo térmico estava quebrado e você virou torresmo antes de chegar ao oceano. Agora não temos ideia de quem você seja.

Se quiser ficar rico, vender sua empresa, arranjar tempo para seus passatempos, criar meia família decente (com filhos medíocres e tal) e de vez em quando aproveitar o pôr do sol com sua cara-metade, aqui vão minhas recomendações altamente eficazes.

1. **Procrastinação.** Entre escrever a última frase e esta, joguei (e perdi) uma partida de xadrez. Meu rei e minha rainha foram atacados por um peão. Mas bom, acontece. Errar é humano etc. e tal.

Procrastinação é a maneira do seu corpo dizer que você precisa parar um pouco e pensar sobre o que está fazendo. Quando você é um empreendedor e procrastina, pode significar que precisa de mais tempo para pensar sobre o que está vendendo para o cliente. Também pode significar que está fazendo um trabalho que não é o seu forte e que seria melhor delegar. Vejo muitos empreendedores tentando fazer tudo sozinhos, quando seria mais barato e mais eficiente delegar, mesmo com o custo a mais que isso representa. No meu primeiro empreendimento, senti como se uma lâmpada de emergência tivesse sido desligada quando deleguei pela primeira vez um trabalho de programação. Por que decidi finalmente delegar naquele momento específico? Eu tinha um encontro com uma gata. Que foi infinitamente melhor do que ter passado a noite me matando com um maldito bug no programa (valeu, Chet, por ter resolvido essa).

Tente entender por que você está procrastinando. Talvez precise de mais brainstorming para melhorar uma ideia. Talvez a ideia ainda não esteja pronta. Talvez você precise delegar. Talvez aprender mais. Ou não gosta do que está fazendo. Não gosta do cliente em cujo projeto você está trabalhando. Talvez precise de um tempo. Há um limite de tempo durante o qual se consegue pensar sobre algo antes de precisar de uma pausa para rejuvenescer os músculos criativos. Nem todo mundo é assim. Os grandes conseguem seguir sempre em frente. Steve Jobs nunca precisou de um tempo. Mas eu preciso.

Procrastinação também pode ser um forte sinal de perfeccionismo, ou de vergonha. Isso bloqueia a construção e a venda do seu negócio. Examine sua procrastinação por todos os lados. Seu corpo está tentando dizer algo. Escute-o.

2. **Tarefa zero.** Existe um mito de que pessoas eficientes conseguem fazer várias tarefas ao mesmo tempo. Pode até ser verdade, mas eu não consigo, tenho provas estatísticas. Tenho um vício sério. Se você conversar comigo por telefone, há quase 100 por cento de chance que eu esteja jogando xadrez online. O telefone toca, uma mão pega o aparelho e a outra liga o computador para iniciar um jogo de um minuto. Os rankings do xadrez são determinados por um sistema de classificação baseado em estatística. É

fácil comparar o meu desempenho enquanto estou no telefone e quando não estou falando com ninguém. É uma diferença de três pontos. Imagine se estivesse falando ao telefone e dirigindo, ou respondendo e-mails. Imagino que seja a mesma coisa: telefonemas diminuem a inteligência em três pontos. Basicamente, esse é o jeito de conseguir ser multitarefa de vez em quando.

Então os excepcionais conseguem fazer várias tarefas ao mesmo tempo. Maraviha. Mas, já que, por definição, a maioria de nós não é excepcional (99 por cento não está incluída no top 1 por cento), é melhor se concentrar em apenas uma tarefa. Uma coisa de cada vez. Quando for lavar as mãos, não tente escovar os dentes. Escute o som da água, sinta a água nas suas mãos, esfregue todas as partes. Concentre-se no que está fazendo.

Muitas vezes, o empreendedor medíocre bem-sucedido deve buscar a excelência em fazer NADA. Zero tarefas. Sempre achamos que temos que "fazer alguma coisa" e nós, ou melhor, eu me sinto envergonhado. Às vezes é melhor ficar quieto num canto, não pensar em nada. Um executivo de muito sucesso me disse uma vez: "Nunca subestime o poder de um silêncio demorado."

Do silêncio surge a maior criatividade. Não quando estamos na correria, em pânico.

3. **Fracasso.** Pelo o que eu entendi, o fundador do Google, Larry Page, nunca fracassou. Ele foi da pós-graduação direto para os bilhões. A mesma coisa aconteceu com Mark Zuckerberg, Bill Gates e alguns outros. Mas, novamente, por definição a maioria de nós é bem medíocre. Buscamos grandiosidade, mas nunca chegaremos lá. Significa que muitas vezes fracassaremos. Não SEMPRE. Mas com frequência.

Minhas últimas dezesseis, de dezessete, tentativas de negócios fracassaram. Em última instância, a vida é uma sequência de fracassos, pontuada apenas pelos sucessos mais efêmeros.

Portanto, o empreendedor medíocre aprende duas coisas com o fracasso. Primeiro, aprende a superar diretamente aquele fracasso em particular. Ele fica altamente motivado a não repetir os mesmos erros. Segundo, ele aprende a lidar com a psicologia do fracasso. Empreendedores medíocres fracassam MUITO. E acabam adquirindo essa incrível habilidade de lidar bem com o fracasso. Isso se traduz em sucesso financeiro.

O empreendedor medíocre entende que persistência não é o clichê de autoajuda "Continue sempre até alcançar a linha de chegada!", mas sim "Continue fracassando até que por acaso não fracasse mais". Isso é persistência.

4. **Nada original.** Nunca tive uma ideia original na vida. Meu primeiro negócio bem-sucedido foi elaborar softwares, estratégias e websites para empresas listadas no ranking Fortune 500. Não foi uma ideia original na época, mas nos anos 1990 as pessoas pagavam preços exorbitantes para esse tipo de negócio. Todos os meus investimentos bem-sucedidos envolveram situações nas quais fiz questão de que os CEOs e os outros investidores fossem mais espertos que eu. Absolutamente todos os meus fracassos como investidor em start-ups ocorreram em situações nas quais me achava o mais esperto. Não era. Eu sou medíocre.

As melhores ideias são aquelas que surgem do casamento de outras duas ideias antigas, que não têm nada a ver uma com a outra, o que resulta em um negócio que é como um bebê feio. Uma criança tão feia que ninguém quer tocar. Olha o Facebook: combinou internet com fixação pela vida alheia. Incrível!

E, aliás, foi a quinta tentativa de criação de uma rede social. E o Twitter? Combina internet com protocolos antiquados de SMS. Feio!, mas funciona. O eBay junta comércio eletrônico e leilões. A música "I'll be there" combina Mariah Carey e Michael Jackson. Se Justin Bieber cantasse "Imagine", do John Lennon, seria um sucesso. Talvez até eu parasse para ouvir.

5. **Networking capenga.** Eu sou aquele tipo de cara, sabe, que na festa não fala com ninguém e fica parado no canto. Nunca vou aos encontros do pessoal de tecnologia. Normalmente recuso ótimos convites de jantares de networking. Gosto de ficar em casa e ler. Quando tinha empresas, tinha vergonha de falar com meus funcionários. Ligava para a minha secretária no andar de baixo e perguntava se o corredor estava vazio, pedia para ela destrancar a minha sala, subia correndo e trancava a porta atrás de mim. Essa empresa em particular fracassou desastrosamente.

Mas muita gente faz networking demais. Empreendedorismo já é difícil o suficiente. São vinte horas por dia gerenciando funcionários, clientes, reuniões e desenvolvimento de produtos. Assumir a responsabilidade pelo que acontece, esse tipo de coisa. Aí o que mais você vai fazer? Passar a noite fazendo social? Deixe isso para os grandes empreendedores. Ou aqueles que vão falir. O empreendedor medíocre trabalha suas vinte horas, depois relaxa quando pode. É difícil ganhar dinheiro. Não é uma festa.

6. **Tudo para conseguir um "sim".** Tome como exemplo uma negociação que fiz. Eu estava começando a Stockpickr.com e me reuni com o CEO do TheStreet.com. Ele queria que sua empresa tivesse uma porcentagem da Stockpickr.com e em troca ele conseguiria anunciantes para nós. Eu estava animado com o acordo. Eu disse "Tá bem, acho que você poderia ficar com 10 por cento da empresa". Ele riu e respondeu: "Não, 50 por cento." Ele não disse "Gostaríamos de ter 50 por cento", apenas afirmou "50 por cento". Coloquei então em prática todas as minhas habilidades em negociação e formulei minha resposta. "Fechado."

Sou um vendedor. Gosto de ouvir "sim". Me sinto inseguro quando dizem "não" ou, pior ainda, quando não gostam de mim. Quando montei uma empresa que fazia websites, estava prospectando o site da Miramax.com. Fiz uma proposta de 50.000 dólares. Eles disseram: "Não mais que 1.000 dólares e já é muito." Usei minha técnica de sempre: "Fechado!"

Os resultados? No primeiro caso, o TheStreet.com tinha uma participação financeira mais significativa, o que os fez ter maior participação psicológica. Em relação ao segundo, tinha agora a Miramax na minha lista de clientes. Por isso a empresa de energia Con Edison teve que pagar muito mais. Muitas vezes o segredo dos negociantes ruins é que fazemos mais acordos. Usamos às vezes a estratégia de perder para ganhar, ou seja, vender um serviço por preço de custo ou com prejuízo para depois fisgar os peixes grandes se conseguirmos fechar muitos acordos. É como perguntar para todas as garotas na rua se elas querem transar. Uma a cada cem aceita. No meu caso está mais para uma a cada um milhão, mas você entendeu o que eu quis dizer.

7. **Péssima avaliação de pessoas.** O empreendedor medíocre não toma decisões instantâneas, como prega o escritor Malcolm Gladwell. No livro, *Blink – A decisão num piscar de olhos*, ele fala muito de pessoas que conseguem tomar decisões rápidas e acertadas em dois ou três segundos. Minha primeira opinião quando sou apresentado, ou até mesmo quando simplesmente olho uma pessoa, é: eu odeio você. Depois vou para a outra ponta e confio demais. Finalmente, depois de ficar quicando entre os extremos, depois de muita tentativa e erro, consigo me posicionar mais ou menos no meio. Também tendo a cortar contato com pessoas nas quais não consigo confiar rapidamente.

Acho que empreendedores excelentes conseguem fazer julgamentos rápidos e ser bons nisso. Mas não funciona para a maioria das pessoas.

Hoje em dia, quando conheço alguém, faço muita questão de não confiar nos meus primeiros instintos. Vou conhecendo mais a pessoa, entendendo sua motivação. Tento simpatizar com qualquer que seja sua opinião. Escuto, tento não brigar ou fofocar sobre ela antes de saber mais. Passo muito mais tempo conhecendo pessoas que quero trazer para perto. Tenho que dispender mais tempo porque sou medíocre, e muito mais sujeito a trazer a pessoa errada para dentro do meu círculo.

Então, até decidir me aproximar de uma pessoa – um cliente, um funcionário, um comprador, um vendedor, uma mulher –, já pensei muito a respeito dela. Significa que não posso perder tempo pensando sobre outras coisas, tipo como lançar um foguete para Júpiter. Mas, de um modo geral, tem funcionado.

Você achava que ser medíocre era algo ruim? Talvez as pessoas pensem isso. Não deveríamos buscar a excelência? A resposta é "Claro que deveríamos! Mas não vamos esquecer que nove entre dez motoristas acham que são 'acima da média'". As pessoas se superestimam. Não deixe a superestimação impedir seu caminho para se tornar fabulosamente rico, ou pelo menos bem-sucedido o suficiente a ponto de poder ter liberdade, alimentar sua família e aproveitar outras coisas da vida.

Ser medíocre não significa que você não vá mudar o mundo. Significa ser honesto consigo mesmo e com as pessoas à sua volta. E ser honesto em todos os níveis é realmente o hábito mais eficiente de todos se quiser ter enorme sucesso.

Como ser menos estúpido

É preciso, porém, equilibrar a mediocridade e a mente humana, que quer nos levar ainda mais para baixo. Dada a oportunidade, nossa mente nos enche constantemente com pensamentos. Seria de se esperar que os pensamentos nos deixassem mais espertos, mas é bem o contrário.

Eu sou muito estúpido. Já posso adiantar isso. No fundo, acredito que, se me esforçar, consigo ser esperto. Mas, neste momento, sou bem idiota. Sinto que tenho o conhecimento certo, mas deixo muitas coisas ficarem no caminho. Minha cabeça se enche muito rapidamente com pensamentos.

Sabe, aquelas coisas: preocupações, paranoia, ressentimentos e rancores. Por exemplo, ter rancor de pessoas que têm rancor de mim. Fico achando que elas têm alguma razão para isso. Então passo a também ter rancor delas. Que ciclo idiota!

Eu achava que encher o cérebro de coisas me deixaria mais esperto. Mas não é verdade. Por exemplo, se eu procurar saber a data de nascimento de Carlos Magno, vou apenas adicionar um fato à minha mente que amanhã terei esquecido, mas que vai se acumular no meu subconsciente. Isso não me deixa mais esperto.

Subtração, e não adição, é o que abre a janela para o cérebro, limpa a sujeira e afasta as cortinas.

Nos anos 1990, durante uma reunião, tentei convencer o agente do Tupac Shakur a me deixar fazer seu website e um CD com extras (isso foi logo depois de sua morte). A reunião não foi apenas ruim, foi vergonhosa.

O agente pediu para eu colocar o demo do CD no computador e mostrar minha ideia. O problema era que o computador dele era Windows. Até então nunca na vida tinha usado um PC com Windows, apenas Macs e Unix. Então não tinha ideia de como colocar o CD para funcionar. Ele riu até eu sair da sala.

De lá, fui para uma aula de xadrez. Não conseguia jogar. Era como se eu tivesse esquecido as regras. Meu instrutor, que é Grande Mestre, perguntou o que havia de errado comigo. Eu estava envergonhado. E com raiva de mim mesmo. Aí então minha inteligência caiu – uns 80 por cento.

Tantas coisas já colocaram pensamentos inúteis e sem valor na minha cabeça. Ao pensar em todos os melhores momentos da sua vida, foram momentos em que havia uma tonelada de pensamentos na cabeça? Ou momentos com menos pensamentos, ou seja, em que você estava calmo e contemplativo?

Se quero ser feliz e produtivo, penso nesses momentos de dor e tento entender o que estava passando pela minha cabeça que me tornou tão infeliz a ponto de não conseguir funcionar.

Paranoia certamente é um elemento disso. Acordar no meio da noite e ficar me perguntando: será que ela está me traindo? Ele está me roubando? Estão falando de mim? Vão me processar? Dá para perder de 30 a 50 por cento da sua inteligência com isso. É um pedação. No meu caso, não conseguia pensar em mais nada. Ficava dando voltas no quarteirão da casa dela até as luzes se acenderem, aí então batia na porta. Ou então ia para o escritório do cara e não ia embora até ele aparecer. A paranoia destrói a pessoa.

Às vezes, no meio da tarde, sofria um ataque repentino de rancor. Pelo quê? Por causa de algo que me escreveram há um ano. Ou por alguém ter impedido uma oportunidade por razões que só ele sabe. Quem sabe por que as pessoas fazem esse tipo de coisa? São tão inconscientes quanto o resto do mundo. Nosso objetivo é ser consciente. Tomar consciência das ações e das reações ao nosso redor. Devemos passar por isso, se quisermos fazer nossas próprias escolhas. Senão ficamos presos na faixa amarela, sem poder ultrapassar.

Pelos meus cálculos, perco no mínimo 20 por cento da minha inteligência quando estou ressentido. Talvez 30 por cento, se contar os sentimentos de vingança. Será que realmente ajuda ficar imaginando qual taco de beisebol eu usaria para realizar minha fantasia de vingança?

Arrependimento é outro fantasma, levou anos para eu aprender a lidar com ele nos meus piores momentos. Já escrevi sobre isso um bilhão de vezes. Perdi muito dinheiro em 2000-2001. É um arrependimento. Ou, melhor dizendo, era um arrependimento. Não mais. Como? Porque percebi que o arrependimento roubava pelo menos 60 por cento da minha inteligência. Não posso arcar com uma perda de 60 por cento. Uns 2 por cento vá lá, mas 60 não. Eu não consegui ter novas ideias de negócios enquanto o arrependimento não foi embora.

Brené Brown escreveu um excelente livro chamado *A arte da imperfeição*, que eu vou resumir aqui: perfeccionismo às vezes é o conjunto de pensamentos mais perigoso que você pode deixar habitar na sua cabeça. Quando estava dirigindo o fundo de investimento, nunca queria ter um mês com queda. Tinha medo de falar com meus investidores. Um deles, que ainda é um bom amigo, disse "Escuta, se você quiser ser um gerente de fundo de investimento, tem que conseguir falar com as pessoas quando tiver um mês ruim".

Mas eu tinha vergonha. Quando perdi minha casa, fui morar a 110 quilômetros de lá. Não queria encontrar ninguém na rua. Tinha vergonha. Quando escrevo um post no blog e acho fraco, penso em tirar do ar antes que muitas pessoas o vejam. Tenho vergonha dele. Quero ganhar o Prêmio Nobel por literatura de blog. Ou atingir 10.000 curtidas no Facebook. Mas não consigo controlar; sou imperfeito. A vergonha da imperfeição toma no mínimo 20 por cento da minha inteligência. Como as pessoas percebem quando você está sendo honesto e valorizam isso, inclusive a honestidade sobre suas imperfeições, acredite ou não, isso cria grandes oportunidades. Vi isso acontecer várias vezes.

E, ligada ao perfeccionismo, certamente está aquela sensação de querer controlar todos os acontecimentos à sua volta. Quero controlar tudo ao meu redor. Mas às vezes dá errado e não tem nada que eu possa fazer. Às vezes é preciso se entregar e pensar "Isso é ruim agora, mas dias melhores virão". Aí aquele peso enorme sai dos ombros.

Sabe por que dizem "tirar o peso dos ombros"? Porque é o seu cérebro que fica ali, apoiado nos ombros. E o cérebro é pesado. Quando está sobrecarregado, o peso extra elimina de 10 a 20 por cento da inteligência. Desista do controle e seja mais esperto. Um exemplo simples: você está atrasado para uma reunião, preso no trânsito. Você pode pensar "Que saco de trânsito. Por que estou sempre preso no trânsito?" ou pode ter pensamentos mais interessantes, do tipo "Como bacon é gostoso. Será que tem como produzir um bacon melhor?" ou "Como criar uma linha de helicópteros para me levar de um lado a outro da cidade?" Parece idiota. Mas são pensamentos muito melhores do que "Que saco de trânsito".

Pior que tentar controlar o futuro é sentir a total falta de controle por coisas que já aconteceram. Isso é arrependimento.

Recebi um e-mail de um amigo recentemente. Ou melhor, há seis semanas. Todo dia acordo e penso "Não responda e-mails antes de ler e de escrever". Mas às vezes tenho outras coisas para fazer. Reuniões. Ou coisas à toa. Ou comer. Daí penso "Tudo bem, respondo a esse e-mail depois". E quando chega o "depois", me sinto mal de não ter respondido antes. Aí, às 3 da manhã, acordo a Claudia e digo "Eu não respondi aquele e-mail". Ela resmunga: "Urgh... ushghsh... zzzzzz". Não é a resposta que eu esperava. Aí não durmo bem. Aí sinto culpa. Lá se vai 10 por cento da minha inteligência.

Fora o passado, há também o futuro distante. No fim das contas, não temos como prever o futuro. Mas vira e mexe nossa mente nos coloca em um mundo fantasioso que mostra o que de pior pode acontecer conosco, o que nos deixa menos inteligentes. Digamos que num dia eu perca mil dólares no mercado de ações. Às vezes penso: "Que merda, se eu perder isso todos os dias pelos próximos..." E assim vai morro abaixo. O pior que pode acontecer, para mim, é ver meus filhos pedindo comida nas ruas violentas de Bangalore, na Índia. Somando o tempo que já passei pensando no pior que podia acontecer comigo, acho que dá um ano inteiro da minha vida. E o pior NUNCA ACONTECEU. E, mesmo que aconteça, não vai ser tão ruim quanto eu imagino. Eu tenho um complexo de escassez. Se não fosse escassez, seria "complexo de abundância". E eu acredito piamente que complexo de abundância gera abundância. Então eu seria mais inteligente (e mais rico) se conseguisse acabar com esse complexo de escassez.

Se queremos realmente aprender, não vai ser enquanto estivermos falando. Apenas quando ouvimos. A Claudia queria me dizer algo importante. Mas falei, em vez de ouvir. Comuniquei minha grande sabedoria antes que ela conseguisse dizer algo. No fim, ela esqueceu o que ia dizer. Provavelmente porque minhas palavras foram tão sábias quanto a Bíblia. Ou a Constituição. Ou um Manual de Redação. Esse é o tamanho da minha sabedoria. É um MANUAL DE REDAÇÃO! Falar demais reduz minha inteligência em pelo menos 15 por cento. Porque eu poderia estar ouvindo e aprendendo. Ou lendo sobre gramática. Ou não sofrendo um acidente enquanto falo no celular. Às vezes temos que calar a boca!

Estava conversando com uma amiga outro dia. Ela estava listando todos os motivos que a impediam de ter sucesso. A idade. A aparência. A privacidade ("Nunca posso escrever o que eu quero"), a falta de tempo e por aí vai. Todo mundo tem desculpas. Todo mundo diz "Não posso". Não posso ser um médico sem estudar medicina. Não posso ser um cineasta sem conseguir arrecadar 10 milhões de dólares para fazer um filme. Não posso me casar com uma modelo porque sou feio. Não posso não posso não posso. Para todo "não posso", você deveria me pagar 10 dólares. Eu faço isso tudo. Especialmente se tiver os seus 10 dólares.

Não bata a cabeça na parede quando esses pensamentos invadirem o seu cérebro. Fique atento para quando eles aparecerem. Você não vai se curar da paranoia. Mas preste atenção no que a desencadeia. Água mole, pedra dura, você sabe. Toda vez que você identifica um pensamento desses, a janela clareia um pouquinho. Uma mancha some. A luz atravessa um pouco mais.

Você fica um pouco mais inteligente. Talvez mais tarde tenha que investigar razões emocionais mais profundas. E existem muitas razões. Talvez zombaram da sua acne na escola e agora você quer ser amado por todos. (Hum, talvez isso tenha acontecido comigo). Mas agora, neste exato segundo, limite-se a não ser atropelado quando atravessar a rua.

Você pode dizer: "Peraí! Tudo isso junto dá mais de 100 por cento". Bom, o que posso dizer? Você é mais inteligente que eu.

Honestidade dá mais dinheiro

Admita: você ficou com inveja do Bernie Madoff. Por um segundo. Naquela noite de dezembro de 2008, quando ouviu a notícia que interrompeu o pânico da onda de bancos quebrando, empregos desaparecendo, caixas eletrônicos sendo esvaziados, preços de frutas orgânicas chegando a 200 dólares por uma maçã. Por um breve momento, muita gente ouviu a notícia e pensou: “Ele roubou 65 bilhões de dólares. Cara, eu teria feito uma cirurgia plástica e sumido no mundo com essa grana.”

Aí a verdade veio à tona. A notícia de que o dinheiro nunca existiu para começo de conversa. Os suicídios. O dono do time de beisebol Mets conseguiu recuperar o dinheiro a tempo.

Uma mulher do Minnesota me ligou chorando, dizendo "Por que ficam insistindo nessa história dos coitados dos judeus que perderam dinheiro? Sou cristã e perdi meus últimos 800.000 dólares". Todos os dias, mais histórias iam aparecendo e a história de terror ia ficando mais real. Madoff na prisão. Sua mulher o deixou com míseros um ou dois milhões e, por último, o horror do suicídio do filho deles.

Mas, por um momento, teve o: "O que eu faria com 65 bilhões de dólares?" Depois, vem a realidade falsa que passou pela cabeça de todos: a única maneira de ganhar muito dinheiro nesse mundo é mentindo e roubando.

Recebo muitas perguntas assim no meu bate-papo no Twitter. Por que temos que ser desonestos para ter sucesso neste mundo? E as pessoas não acreditam quando digo que isso não é verdade. Aliás, é exatamente o oposto. Só a honestidade vence. "Não pela minha experiência", elas respondem.

Ninguém pergunta: "Preciso ser desonesto para ser bem-sucedido?" Parece que já sabem a resposta, querem apenas saber por que é assim.

O capitalismo ainda sofre do golpe mortal que recebeu em 2008. Todo mundo era ladrão. E o Madoff era apenas a ponta do iceberg. A família de Mubarak já tinha fugido com 200 bilhões de dólares quando ele foi expulso do Egito. Todo dia recebo notícias de mais um esquema de pirâmide. Ontem foi um fundo de ações que sumiu com 4,9 milhões de dólares em algum fim de mundo pantanoso na Flórida.

Por quê? Todos querem saber. Querem justificativas. Na verdade, talvez estejam perguntando: "Certo, até agora tenho evitado, mas será que deveria me jogar de vez e começar a ser desonesto para ganhar dinheiro?" E a próxima pergunta seria: qual são as dez melhores formas de ganhar dinheiro sendo desonesto?

O problema é que estão todos errados. Desonestidade nunca funciona. **Honestidade é a única maneira de ganhar dinheiro no mundo de hoje.**

Ninguém acredita em mim. Riem de mim. "Você não sabe de nada? Claro que os desonestos montam em cima dos honestos e têm mais sucesso." Querem explicar os próprios fracassos e uma bondade fingida para justificar por que não criaram o Google, ou não roubaram 65 bilhões de dólares, ou não conseguiram aquela promoção enquanto a vaca traidora do guichê 3 conseguiu um aumento depois de ter feito sabe-se lá o quê.

Mas a verdade é a seguinte: a desonestidade funciona... até não funcionar mais. Todo mundo sempre acaba pisando na bola. E, quando alguém é desonesto, há apenas uma única chance e pronto. Expulso do jogo – pelo menos até se endireitar e começar do zero com o rabo entre as pernas.

A honestidade é cumulativa. Agrega exponencialmente. Não importa o que aconteça em sua conta bancária, sua carreira, suas promoções e suas start-ups. A honestidade se acumula exponencialmente, não em dias ou semanas, mas em anos e décadas. Mais pessoas confiam na sua palavra e divulgam que é a você que devem procurar, ter como referência, dar oportunidades, oferecer ajuda e investir dinheiro. É isso que constrói o seu império.

Aprendi isso depois de muitos fracassos. Quanto mais eu fracasso (e comunico a minha situação), mais eu não ganho nada com isso, porém deixo alguém ter ideias de graça. Quanto mais tento "tocar a minha ideia" mas acabo sendo apunhalado por aqueles que acham que não há problema em ser desonesto, maior é o número de sementes plantadas e mais dinheiro ganharei a longo prazo.

Seja desonesto uma única vez, e todas essas sementes serão levadas embora em uma tempestade de proporções homéricas. Um furacão de desespero vai acabar com todas as suas oportunidades para sempre. Restará apenas um deserto e você terá que recomeçar de novo.

Como ser mais honesto na vida:

1. **Dê crédito.** Mesmo se as ideias forem todas suas. Mesmo se não ganhou nada com elas. Mesmo se foram descaradamente roubadas. Dê crédito e siga adiante. Segurar suas ideias esperando o momento de brilhar deixa você sozinho em um quarto escuro com um espelho na mão.

2. **Seja a fonte.** "Mas e se alguém ganhar 1 bilhão de dólares com as ideias que eu divulguei de graça? Meus parceiros sempre me sacaneiam." Se você for a fonte de ideias, será SEMPRE a fonte. Esqueça os otários que roubam. Siga em frente. Torne-se "A" fonte de ideias. As pessoas virão até a fonte, farão pedidos e jogarão dinheiro nela. Não seja uma poça de água suja. Seja a fonte e mostre isso, doando crédito e recompensas.

Um ótimo exemplo de "A fonte" é o Google. O Google não tem conteúdo. Não tem nada além de uma caixinha, onde você digita uma palavra sobre a qual quer saber mais, digamos "motocicletas".

Aí então o Google é completamente honesto. Ele logo responde "Não sabemos ABSOLUTAMENTE NADA sobre motocicletas, MAS se você visitar esses dez ou mais websites, achamos que são os melhores que há para aprender sobre motocicletas".

"Ah, e mais!", continua o Google. "Aqui vão outros três sites que têm conhecimento sobre o assunto, mas, para falar a verdade, esses três nos pagaram para aparecer na lista. Achamos que você ia querer saber disso."

Aí você sai do Google. Na média, as pessoas passam apenas alguns minutos POR MÊS no Google. Na verdade, quanto mais tempo você passa no Google, menos lucrativo ele é. Eles querem que você entre e saia logo do site deles. Toda vez que você sai, o algoritmo se aperfeiçoa (de acordo com o site em que você clicou) ou eles ganham mais dinheiro (porque você clicou em um dos sites anunciantes).

Onde você procura saber mais sobre, sei lá, contraceptivos? No Google. Na fonte.

Quando comecei meu negócio na internet, eu trabalhava como consultor para grandes empresas sobre como criar presença na web. A coisa que elas menos queriam fazer era incluir links para outros websites. É exatamente o oposto do que hoje chamamos de Era do Escolha Você.

Na Era do Escolha Você, as pessoas têm que ter autoconfiança para serem honestas. A confiança para ir contra as grandes corporações que se recusam a escolher você. A confiança para direcionar o tráfego àqueles que talvez tenham mais recursos do que você.

Para fazer as próprias escolhas, primeiro você tem que ser destemido. Saber que a riqueza está em todos os lugares, não apenas escondida atrás das máscaras que você usa para exibir suas habilidades em público.

3. **Apresente duas pessoas.** Pense, todos os dias, em pelo menos duas pessoas que você poderia reunir e que ajudariam uma à outra. Você não precisa servir como intermediário. Pode colocar no e-mail: "Não precisam me copiar". Deixe que elas se ajudem. Deixe que se beneficiem. Não precisa ficar no meio e aproveitar dessa vez. Fica para a próxima. Ou a outra. Mesmo que isso signifique deixar passar oportunidades, ou que você ache que outra pessoa faria um trabalho melhor.

Pense assim: existe o "efeito linear" e o "efeito em rede". Se você vive sua vida linearmente, seu valor e seu recursos aumentam apenas quando você conhece alguém novo e a lista de quem *você* conhece aumenta. Isso não é mais o suficiente. Você precisa montar seu próprio império. E não dá para fazer um passo de cada vez. Desse jeito, não seria um império, seria uma lista.

O efeito em rede, por outro lado, é um velho conhecido da internet desde seus primórdios. A premissa é a de que o valor de um site aumenta exponencialmente, dependendo de quantas pessoas o utilizam. Quanto mais pessoas no site não conhecem umas às outras ou não conheceram o site através da outra, mais poderoso será o efeito em rede. É a construção do império.

Como isso se aplica a você? Quantas pessoas estão "usando você"? O valor da sua rede aumenta exponencialmente quando você encara seus contatos e seus recursos não como uma lista, mas como nós em uma rede. Pense na quantidade de conexões que podem ligar dois nós diferentes na mesma rede. É exponencial, se comparado ao número de itens em uma lista ligada diretamente a você.

Você cria o efeito em rede encorajando pessoas da sua rede a se conectarem e se ajudarem. É até meio engraçado. Às vezes ouço "Ah, conheci tal pessoa graças a seu blog." E penso "Mas é a MINHA tal pessoa!" Tenho que parar com isso. É muito restritivo. O universo tem recursos infinitos. Você tem recursos e tempo finitos. A única forma de gerar riqueza é comportar-se mais como o universo.

Estabeleça essas condições para a vida toda. Depois relaxe e observe os encontros. Logo você terá criado vida, terá ajudado a criar as grandes coisas que seus contatos vão gerar juntos. Mais uma vez, você será a fonte.

4. **Assuma a culpa.** Eu errei em outubro de 2008. Estava passando por uma crise financeira e por uma separação, estava com medo e enlouquecido. Administrava um pouco de dinheiro que um fundo de investimento alocou para mim. Aquele mês foi de queda. Foi o fundo do poço da maldita crise financeira. Eu dormia na minha rede, tomava chuva e tempestade e, de uma hora para outra, o índice Dow Jones havia caído mais 700 pontos, e eu encharcado, doente e nervoso. O dono do fundo me ligou no fim do mês e disse: "Olha, já liguei dez vezes e você não retornou minhas ligações. Se tivesse retornado pelo menos uma ligação, estaria tudo bem. Mas agora preciso pegar o dinheiro de volta." Ele tinha razão. E assumi isso. Mais tarde. Somos bons amigos agora e já trabalhamos juntos depois disso, mas demorou alguns anos para reconquistar a confiança.

> "Um 'não' dito com convicção é melhor do que um 'sim' só para agradar ou, pior ainda, para evitar complicações"– Gandhi

5. **Não leve uma vida dupla.** Tudo o que você faz toma espaço no seu cérebro. Se você vive uma vida dupla (se a carapuça serviu, você sabe do que estou falando), essa vida a mais faz neurônios e sinapses trabalharem horas extras. O cérebro não aguenta. Começa a se degradar em vez de crescer. Levar uma vida dupla talvez dê prazer momentâneo, mas seu cérebro vai parar na sarjeta. E suas finanças, que refletem a saúde do seu cérebro, irão junto direto para o esgoto.

6. **Não sinta raiva.** Raiva é uma espécie de desonestidade. Ninguém é perfeito. Esperar que as pessoas à sua volta sejam perfeitas é viver uma mentira. Às vezes fico bravo com as minhas filhas. Mas elas são apenas crianças. Às vezes sinto raiva das pessoas com quem estou tentando fechar acordos. Mas elas têm motivações próprias, seus medos, suas preocupações e ansiedades. Não precisam fazer tudo o que eu espero que façam. É meio desonesto mentir para si mesmo sobre as expectativas que temos em relação aos outros. Claro, não dá para controlar a raiva. De vez em quando acontece. Mas reconheça o que realmente é, examine a situação e tente contorná-la, nem que seja só um pouquinho – para aprender mais sobre si mesmo em vez de culpar outra pessoa. É aí que a honestidade agrega.

7. **Não dê desculpas.** Quando perdi meu dinheiro em outubro de 2008, foi fácil colocar a culpa na manipulação do mercado e em todos os criminosos que colaboraram para isso. Quando perdi milhões no ano 2000, a ponto de falir totalmente e perder minha casa, foi fácil botar a culpa na "bolha da internet" e nos "CEOs corruptos", em vez da minha falta de experiência no mundo financeiro. Desculpas são mentiras fáceis que contamos para nós mesmos, para encobrir nosso fracasso. Um exemplo de desculpa é que apenas os desonestos sobem na vida. Também é uma mentira.

8. **Faça o filme dos outros.** Isso vai além de apenas dar crédito. Em Administração, há um princípio famoso, a "Regra de Pareto", que afirma que 80 por cento do trabalho é feito por 20 por cento da população. Isso é, em parte, consequência de um sistema educacional no qual jovens passam vinte anos sendo encorajados a fazer o mínimo exigido para subir o próximo "degrau" na escada imaginária do sucesso. Mas todos querem ser reconhecidos por pequenos feitos. Apronte o seu microscópio. Reconheça até o menor dos feitos do mundo à sua volta. Traga cada vez mais pessoas para dentro dos 20 por cento. No fundo, todos querem ser vistos como especiais. Isso porque todo mundo *é* especial, mas não é reconhecido por isso. Seja diferente. Tome consciência dos pequenos movimentos à sua volta e reconheça-os. Ninguém esquecerá.

9. **Não fofoque.** Uma vez, conversando com um investidor, detonei um empreendedor em quem eu havia investido. Naquele mesmo dia eu ia jantar com ele. Quando cheguei, apenas quatro horas depois, ele já sabia que eu tinha falado mal dele. Ele nunca mais confiou em mim. As pessoas sempre ficam sabendo. E mesmo que não saibam, elas sentem que algo está errado, porque a fofoca se espalha. E não há como prever isso. E é outra forma de viver uma vida dupla.

10. **Faça o que você disse que ia fazer.** Seja esse tipo de gente.

11. **Melhore a vida dos outros.** Em 1999, alguns dos funcionários da minha primeira empresa pediram demissão e abriram uma empresa concorrente. Alguns dos meus sócios ficaram com raiva. Eu os encorajei. Por quê? Porque ninguém precisa trabalhar para mim a vida toda. Sempre ajude as pessoas a crescer e a atingir seu potencial. A única coisa que peço é "Se me encontrarem na sarjeta com uma agulha no braço, por favor me ajudem". Eles riem e respondem que isso nunca

vai acontecer. Acredite. Tudo pode acontecer. Já me tiraram daquela sarjeta mais de uma vez.

Dez anos depois encontrei um dos funcionários, que se tornou CEO da nova empresa. Ele correu atrás de mim e gritou meu nome. Isso foi na Times Square, no centro de Nova York. Não nos encontrávamos há quase dez anos. A empresa dele tinha crescido muito. Recebera dinheiro de grandes investidores, tornara-se lucrativa e tinha muitos funcionários. Ele me contou que, quando caminhava pela empresa, tinha sempre dois modelos em mente: seu comandante no exército israelense e eu. Eu me senti honrado. Ele me ajudou muito quando estava construindo meu negócio. E agora era uma honra ajudá-lo dessa forma. Não preciso me beneficiar com a empresa dele. Mas ela está ajudando muita gente agora e, de certa forma, isso cria riqueza para mim. Nunca falta riqueza quando se ajuda o próximo.

Nem sempre fui honesto. Eu tento ser. E espero estar melhorando. Eu tento melhorar a cada dia e seguir os conselhos que acabei de dar, caso contrário não os teria listado. Mas já vi acontecer. Com pessoas que estão no mercado há dez, vinte, quarenta anos. A honestidade vai se acumulando aos poucos. E esse acúmulo se transforma em milhões ou bilhões. Os desonestos desaparecem. Morrem. Acabam na prisão. Não maximizam seu potencial. Fogem. Têm medo.

Você não terá que fugir de ninguém. Algumas pessoas vão odiar você. Outras vão duvidar da sua sinceridade. Mas aquelas que precisam de uma pessoa para quem telefonar, com quem compartilhar as coisas ou para quem doar, essas pessoas saberão para quem ligar. Você.

Nunca se é jovem demais para escolher você: nove lições de Alex Day

Queria ter sido mais esperto aos 23 anos. Fazia tudo errado: achava que precisava de um diploma de graduação. Um diploma de pós-graduação (no fim, fui expulso da pós). Achava que precisava que uma editora "me escolhesse" para ser um autor. Achava que precisava que uma empresa grande me contratasse, para validar a minha inteligência e aprovar o meu sucesso.

Eu não precisava de nada disso. Você não precisa de nada disso.

O mundo mudou, é um lugar diferente. Os intermediários estão na UTI, as barreiras da entrada caíram, e a Era do Escolha Você chegou para ficar.

Alex Day é o exemplo perfeito disso. Se você nunca ouviu falar de Alex Day, tudo bem. A maioria das pessoas nunca ouviu. Mas várias já ouviram. E o ADORAM. Alex é um músico inglês de 23 anos. Desde 2009, quando tinha 19 anos, ele já lançou três álbuns, já esteve três vezes no Top 40 hits do Reino Unido e acumulou mais de 100 milhões de exibições no seu canal do YouTube. Ele fez *tudo isso* sem gravadora, quase somente com o apoio dos fãs. Seu terceiro álbum foi lançado no Reino Unido no mesmo dia que o tão aguardado e polêmico *20/20 Experience*, de Justin Timberlake.

O resultado:

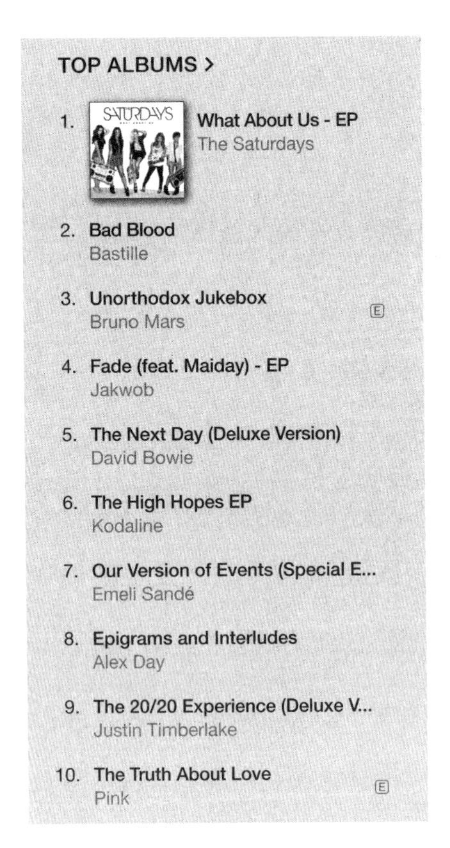

Reprodução de ranking do iTunes no dia seguinte ao lançamento dos dois álbuns.

Justin Timberlake é tipo o príncipe da indústria musical. Os selos amam. As rádios amam. Eles faz turnês para tudo que é canto. Ele tem o apoio de uma enorme máquina de marketing. E é casado com a Jessica Biel. Tá bom, né?

Mas não o suficiente. Alex Day passou por cima dele. O que diabos aconteceu? Não faço a mínima. Por isso, liguei para Alex com o objetivo de descobrir.

1. **Posso ligar para quem eu quiser.** Se quiserem falar comigo, ótimo.

Segue a minha entrevista na íntegra com o Alex (tem muita coisa boa e não valia a pena editar o texto):

Eu: Li que você começou a postar vídeos no YouTube em 2006. Quanto tempo demorou para pensar: "É isso. Isso vai arrebentar".

Alex: Desde os meus primeiros trinta seguidores, conversava com o público, produzia vídeos para eles e respondia aos comentários, mas nunca os vi como "fãs", achei que éramos apenas uns caras meio entediados. Minha primeira experiência de ser tratado como celebridade aconteceu só em 2010, quatro anos depois, quando fiz algumas apresentações com a minha banda na época (que incluía YouTubeiros) em lugares pequenos e isolados do Reino Unido, como Norwich, e tinha duzentas pessoas gritando e enlouquecendo.

Eu: Em última instância, a pessoa precisa de dinheiro para ser artista. Não dá para ser um artista esfomeado para sempre. Sem o apoio de uma gravadora, há três escolhas: propaganda no YouTube, downloads no iTunes e shows. Qual dos três deu certo para você?

Alex: Shows não eram o caminho para mim – os únicos que fiz foram os de lançamento do meu álbum, por exemplo, ou shows com amigos, como mencionei. Não sinto necessidade de me apresentar ao vivo quando consigo atingir meu público online, ao mesmo tempo, no mundo inteiro, sem excluir ninguém, o que não acontece em uma turnê.

2. **Todos os métodos convencionais de faturamento e distribuição foram para o espaço,** porque as barreiras de entrada que geram renda acabaram.

Alex: Em relação às duas outras opções: divulguei meu primeiro lance musical (uma compilação de versões do YouTube chamado YouTube Tour) em 2007, acho, e rendeu uns 200 paus. Aí em 2008, começou um programa de parceria do YouTube e eu fui um dos primeiros parceiros. Na época ganhava talvez 300 dólares por mês e foi aumentando aos poucos. Ao mesmo tempo, meu primeiro álbum saiu em outubro de 2009, então, em março de 2010, com esse dinheiro mais o do YouTube, fui morar com meu melhor amigo, e pagávamos 600 dólares de aluguel cada, não era tão ruim. Ganhava a mesma coisa com o YouTube e com a minha música, até "Forever Yours" emplacar o quarto lugar em 2011; depois disso as vendas de música ultrapassaram em muito a renda do YouTube. Normalmente, ganho cerca de 3.500 dólares por mês com o YouTube (como faço parte de uma rede, eles vendem espaço publicitário a um preço maior) e ao menos 10.000 dólares com música e merchandising. Também participei de outros projetos, como um jogo de cartas que criei com meu primo e que vendemos online. Criei outro negócio este ano, chamado Lifescouts – que coloca um pouco mais de dinheiro no porquinho também.

Eu: Não é um pouco o que a Ani DiFranco fez? Ela nunca assinou contrato com um grande selo. Apenas fez o que sabia.

Alex: Acho que a principal diferença é que ela saía em turnê toda hora e eu não. Ela também conquistou sua independência, criando o próprio selo. Eu não tenho selo nenhum.

Eu: Você já foi procurado por alguma gravadora?

Alex: As gravadoras nunca souberam o que diabos fazer comigo. Sempre tive a mente aberta – não gosto da ideia de que ser um artista independente, sem contrato e com orgulho, significa que eu estou de um lado e eles do outro, e que temos que duelar até a morte, ou sei lá o quê. Tem muitas coisas que eu faço sozinho porque preciso, e me beneficei com isso, mas com certeza seria mais fácil com ajuda externa! Estava disposto a ouvir o que eles tinham para oferecer e pensar em como poderíamos trabalhar junto, e ainda estou, mas acho que as gravadoras não estão prontas para serem tão humildes. Elas querem controlar tudo. Gosto de escolher minhas próprias músicas e fazer meus próprios vídeos. Já tive várias reuniões com a Island Records, do Reino Unido, e na última um cara disse que achava que eu não estava pronto para assinar um contrato porque só contratavam "artistas cujo álbum conseguimos vender no mínimo um milhão de cópias em três meses" – mas se ele espera que eu chegue a esse número sem ele, por que raios preciso da gravadora em primeiro lugar? Também me reuni com o pessoal da Warner, da Sony, da EMI – foi a mesma coisa. Ninguém achou que precisaria justificar seu interesse. No melhor dos casos, tentaram "desvendar meu segredo"; no pior, eles estavam completamente desinformados e eram preguiçosos.

Eu: Mas por que você precisaria de uma gravadora agora?

Alex: Acho que seria ótimo ter a ajuda delas. Vou dar um exemplo. Escrevo minha música, toco, faço vídeos, crio os álbuns etc. Mas fazer parte de um selo valida a presença nas lojas físicas. Um garotinho de 10 anos que gosta do que faço falou para o pai, que trabalha na distribuição da Universal, que a gravadora deveria me procurar. Deu certo e fechei um acordo. Fiz tudo, mas eles me colocaram em todas as lojas da HMV. Foi ótimo. Ninguém achava que eu conseguiria vender CDs de singles, mas vendi 10.000 no Reino Unido.

3. **Todos dirão que você NÃO CONSEGUE.** Especialmente se for jovem, mas se você souber escolher como trabalhar nas trincheiras do sistema, você CONSEGUE.

4. **O poder da comunidade que você constrói** terá efeitos que você não pode controlar (um fã de 10 anos de idade, por exemplo).

Eu: Claramente, você tem uma visão de longo prazo do que artistas deveriam fazer e para onde a indústria musical está indo. Onde acha que ela estará daqui a dez anos?

Alex: Acho que não importa como vejo a indústria musical daqui a dez anos – importa onde ela está agora e o fato de que não está me ajudando, então aprendi a viver sem ela! Gostaria que, daqui a dez anos, ela encontrasse uma forma de me apoiar mais, mas é muito tempo para esperar. O lance da visão de longo prazo é que na verdade é uma sequência de pequenos picos. É como se o público estivesse no segundo andar de um prédio, e cada música que eu lanço me desse um impulso em um trampolim do lado de fora do prédio. Então, por um segundo, consigo ver a janela e dizer "Oigaleraestouaqui". Se eles não me virem, eu caio, faço outra música e tento novamente. Se as músicas arrebentam, é muito rápido, senão, basta tentar de novo.

5. **Persistência é mais importante do que aprovação da indústria,** porque não é a indústria que compra o que você vende.

6. **Concentre-se no que você pode fazer por sua arte/seu negócio neste momento,** em vez de olhar para daqui a dez anos.

Eu: O que os artistas e as pessoas criativas deveriam fazer para seguir em frente quando a situação é a mais frustrante? A maioria desiste. E, sinceramente, a maioria das pessoas não presta. O que fez você continuar, de 2006, quando a coisa parecia sem futuro, até hoje?

7. **Você precisa de um mentor.**

Alex: Para ajudar a entender se você é bom ou não, precisa ter alguém que conheça a indústria musical ou saiba o que é que dá certo, seja comercial ou experimental, ou o que quer que seja que você esteja tentando alcançar com sua música, e dizer honestamente se você é bom ou não. Tenho um amigo, agora muito próximo, que trabalhava para a indústria, lançou hits como "Who Let the Dogs Out" e "I Get Knocked Down But I Get Up Again". A gente se conheceu através de um amigo comum. Eu mandava músicas e ele dizia "não é um hit, não é um hit, não é um hit", até que mandei "Forever Yours" e ele disse "Conseguiu. Agora arrebenta!"

Ele não me ajudou, apenas guiou, mas é necessário ter alguém assim e de confiança. Tem outra coisa: simplesmente não consigo desistir. Às vezes, fico meio para baixo quando passo um mês ou dois sem trabalhar na minha música, mas aí alguém me mostra algum som genial, ou assisto a um dos meus vídeos ou ao Grammy's, e penso "Tenho que continuar". Não consigo desistir porque quero muito isso, e, não importa que seja difícil, será pior se eu não tentar conquistar o que amo.

5 (de novo). Persistência, olha ela aqui novamente.

Eu: Como você entrou nessa? Como você alcançou as 10.000 horas para virar um especialista?

Alex: Cresci com a minha mãe ouvindo rádio o tempo todo, em casa, indo para a escola etc. Música sempre foi uma grande parte da minha vida. E tem tanto a ser aprendido sobre composição musical além de apenas escrever a melodia. Da mesma forma que escritores sempre recomendam ler muito para ser um bom escritor, minha parte favorita do meu desenvolvimento como artista é passar horas ouvindo música, ouvindo todas as músicas do Michael Jackson e buscando pontos em comum, padrões, o som da produção, a variação do estilo; já desenhei gráficos que mostram a melodia de um refrão para que eu pudesse enxergar como uma música se desenvolve e como varia de uma faixa para a outra. Comecei a compor músicas quando tinha 13 anos. Não eram tão ruins quando tinha 17. Escrevi "Forever Yours" aos 22, e o resto das músicas da minha nova coleção aos 23. Estou compondo há dez anos e sei que ainda tenho muito o que aprender. De certa forma é a parte mais legal – ouvir a diferença entre as músicas deste ano e as do ano passado e pensar "O que estarei fazendo no ano QUE VEM?" Há espaço para crescer e isso é muito animador.

Eu: Como você chama a atenção de fãs fora do seu círculo musical? Como você monta sua tribo, como diria o Seth Godin?

Alex: É tudo no YouTube. Tenho Twitter e Facebook apenas porque acho que preciso, que tenho que atingir as pessoas nessas redes. Não significa que estou no piloto automático ali, mas preferiria muito mais não ter que usar esses serviços. Em parte, é necessário porque não tenho muito alcance no "mundo real" para me dar ao luxo de não me promover na rede, mas o Twitter e o Facebook definitivamente são contas de trabalho que apenas informam sobre as minhas atividades. A conexão pessoal está no YouTube. Eu amo aquele espaço. É um canal tão criativo, tenho feito vídeos nos últimos sete anos, um ou dois por semana, e nunca fiquei entediado.

Fico triste de verdade quando o YouTube não é cotado como essencial na métrica das mídias sociais junto com Twitter, Facebook e Tumblr (eu tenho um Tumblr também, mas, assim como as outras mídias, não sei usar direito). Eu entendo o YouTube e ele mudou minha vida. O importante é não falar de música o tempo todo; na verdade, tento manter uma proporção de três de vídeos de música para um de outros tipos. Outros músicos do YouTube passam muito tempo fazendo apenas versões ou colocando vídeos das turnês, e o que você aproveita daquele canal fica limitado a gostar ou não da música da pessoa. Acabei de lançar meu novo clipe, e muitos comentários dizem "nunca vi seus vídeos de música antes, mas realmente gostei desta". São assinantes de longa data da minha página que dizem isso. Eles continuam acessando porque ofereço outras coisas, daí acabam ouvindo as músicas novas e às vezes eles gostam.

8. **Escolha seu canal de mídia social e vire um mestre.** Não basta ser mestre da sua arte. Você tem que pessoalmente entender muito bem como distribuí-la através de uma rede social, se comunicar com os fãs etc. Eu admito. Tenho inveja do Alex. E sou um grande fã.

9. **Fale com seus grandes fãs.** Isso é bem difícil para mim. Parabéns ao Alex por escolher a si mesmo desde 2006, quando tinha 17 anos, e por não ter vergonha de explicar os detalhes – até sobre dinheiro – de como ele chegou lá. Alex é excepcional e, por enquanto, uma exceção à regra. Mas não por muito tempo. Não tem como. Porque no fim das contas todos formarão um padrão similar na nova economia em que vivemos. Alex é a prova de que nunca somos jovens demais para dar o primeiro passo nessa direção.

O curioso caso da foto sexy

Usei essa foto de uma mulher na praia para publicar no Facebook um post que tinha escrito no blog. Alguém me acusou de sempre usar fotos de mulheres seminuas para promover os posts.

E tinha razão. Enfatizei, porém, que a foto mostrava um ser humano no auge de uma atividade física. Uma posição que nunca vou conseguir reproduzir, muito menos os críticos do seminu. E, tecnicamente, ela só está *90 por cento* nua. Então pronto.

O engraçado é que até mesmo nos comentários DESSE post alguém perguntou: "Por que você sempre publica fotos de mulheres seminuas?"

Antes de qualquer coisa, desde quando usar fotos de mulheres seminuas virou anormal? A maioria das revistas masculinas E TAMBÉM as femininas as publicam. Obviamente, é uma imagem que os seres humanos gostam de ver. E segundo, você não leu os comentários do post?

E, por fim, a própria mulher da foto me escreveu, mandando uma resposta para os críticos. Ela se chama Dashama. Você a encontrará no site www.dashama.com, onde ela oferece cursos de yoga. Encorajo qualquer pessoa que ache que consegue fazer a posição demonstrada na foto – chama-se *Kapotasana*, ou "a pose do rei pombo" – a fazer as aulas dela e se aperfeiçoar.

Minha primeira reação foi de alívio por ela não querer me processar pelo uso da foto sem autorização. Após ler a mensagem, foi interessante descobrir que Dashama, assim como a maioria das pessoas citadas nesse livro, não lidou com essa situação a partir das barreiras que a sociedade nos impõe, mas a partir do alicerce de saúde que ela construiu e que não só curou seus problemas físicos como também a ajudou a montar um negócio e a criar um estilo de vida com o qual a maioria das pessoas apenas sonha.

Eis a resposta de Dashama:

"Caro James,

Um amigo me mandou um tempo atrás o link do seu artigo com a minha foto na posição de yoga. Li o artigo e outros oito que você publicou sobre vários assuntos. Sua escrita é fácil de ler e conversa com o leitor, ao mesmo tempo em que tem humor e autenticidade na medida certa para mantê-lo interessado até o final. Resumindo, você é um ótimo escritor :)

A controvérsia sobre a nudez é sempre interessante, então pensei bastante sobre as críticas que você recebeu por causa da minha foto.

Nos últimos dez anos, tenho fortalecido o meu músculo do "não me incomodo em ser julgada pelos outros". Sei que o que faço nasce do amor e da devoção por uma transformação positiva no mundo. Passei a minha infância entre lares adotivos e com a saúde debilitada, então o mero fato de estar viva já é um milagre diário. Essa façanha de colocar as minhas pernas atrás da cabeça e me equilibrar com as mãos é ainda mais milagrosa, pois há dez anos perdi o alongamento da minha coluna cervical em um acidente de carro. Todos os médicos diziam que não havia como reverter o dano, então comecei a procurar alternativas. Agora, depois de uma década de autocura, posso fazer coisas milagrosas com meu corpo que os outros, como você comentou, apenas sonham.

Além do milagre físico da minha experiência pessoal de cura, também posso viver meu sonho e trabalhar com o que mais amo, e isso é certamente inspirador. Tive meu período de cubículo de escritório, odiando a minha vida. Julgava todos ao meu redor, e a mim também, focando em coisas negativas. Precisei de muita coragem para identificar o que eu amava fazer e decidir construir uma carreira a partir disso. Foram mais cinco anos de trabalho de autoconhecimento até superar as limitações e crenças que aprisionavam meu poder e minha autenticidade de expressão. O que se seguiu foi uma curva de aprendizado exponencial de mulher sozinha tentando administrar um negócio em um mundo dominado pelo masculino. Navegar essas águas não tem sido nada fácil.

Apesar dos desafios, foi a melhor decisão da minha vida. O retorno veio em forma de felicidade em vez de dinheiro, mas prefiro esse tipo de recompensa em vez de trabalhar com algo que acabe com a minha alma apenas para pagar as contas. E é exatamente isso que me inspira ainda mais. Saber, de corpo e alma, que TUDO É POSSÍVEL.

Dilapidamos nossa alegria e felicidade quando paramos para ver o que os outros estão pensando e falando sobre nós. É algo recorrente, e temos que parar com isso.

Há alguns anos li uma entrevista com Gabrielle Reese, em que perguntaram como ela lida com a pressão de ser atleta profissional, modelo, mãe e esposa do deus do surfe Laird Hamilton. Ela respondeu: "Na vida, um terço das pessoas ama você, um terço odeia você e um terço não se importa com a sua existência." Quando li isso, minha visão do mundo se transformou.

A partir daí, quando alguém não gostava de mim ou dizia algo negativo sobre algo que fiz, na hora eu o adicionava à lista do um terço que não vai gostar de mim não importa o que eu diga ou faça. Ótimo! Agora vou me concentrar na riqueza abundante de apoio e carinho que recebo de fãs e amigos que me amam e a quem posso amar o mesmo tanto. Caso encerrado. Vamos em frente, muito obrigada.

Meu recado é simples. Surpreenda-se com o brilho do diamante que se esconde debaixo das camadas de convicções limitadoras. Você é belo. Você já é perfeito em estado bruto; talvez seja hora de se polir! Espero um dia te encontrar no paraíso.

Com amor e bênçãos, namastê,

Dashama"

Dashama tem razão. Percebo isso sempre; não importa quem você seja, o que você faz, quem é o seu público: um terço amará, um terço odiará e um terço nem se importará. Fique com os que te amam e não perca nem um segundo com o resto. Sua vida será melhor assim.

O que nos leva a...

O que aprendi com o Super-Homem

Pulei da cama, voei, aterrissei em falso e quebrei o pé. Eu estava com 6 anos e tinha fortes indícios de que vinha do planeta Krypton, cujo sol explodiu quando eu ainda era bebê e me deixou órfão em um planeta onde ninguém jamais me entenderia completamente.

Vestia a minha capa (um lençol do Super-Homem). A gravidade terrestre era fraca e não me seguraria. Nada me seguraria. Minha mãe alega ter ouvido do outro lado da casa meu osso quebrar. *Créc!* Caí. Talvez tenha acontecido assim. Talvez ela tenha ouvido.

Tive que engessar o pé. No primeiro dia de aula do 1º ano, em uma escola nova, eu era "aquele garoto". O que mancava. O que tinha o pé engessado. Sabe, o coleguinha que todo mundo quer conhecer, porque certamente eu estava destinado a ser a criança mais popular do 1º ano. No final do dia senti uma coceira dentro do gesso. Foi excruciante. E ainda por cima estava chovendo. A professora, sra. Klecor, só nos deixava entrar no ônibus depois que soletrássemos o sobrenome. O meu nome não ajudava muito nessa tarefa: Altucher. Tinha certeza de que perderia o ônibus. Fui o último a sair da sala. Comecei a chorar. Porque ia tirar o gesso depois da aula. Mas só se conseguisse soletrar meu nome e não perder o ônibus.

Quase trinta anos depois desse incidente, ainda sou o Super-Homem. Melhor, sou um Clark Kent bem desajeitado. Uso óculos. Cabelo preto. Muitas vezes fico tímido em público. Tem gente que ri de mim. E, como vários outras pessoas, tenho uma identidade secreta. Uma que revelo aos poucos para a Lois Lane mais próxima. Mesmo assim, se me abrisse por completo, provavelmente acabaria na prisão, ou no hospital, ou em uma instituição psiquiátrica, ou ainda mais pessoas me odiariam, ou a Claudia me largaria, ou outras pessoas seriam magoadas por aqueles que se aproveitariam da verdade. É a minha identidade secreta.

Desde os 4 anos, tenho lido *Super-Homem*. Se não estivesse escrevendo este livro, escreveria cinquenta ideias de roteiros para enviar à DC Comics. Por que a história do Super-Homem é tão empolgante? É a ideia, claro, de que todos somos o Super-Homem. Somos tímidos e estranhos e ah!, se as pessoas SOUBESSEM REALMENTE quem somos. A pessoa por debaixo do terno, dos óculos, que abre a camisa branca para revelar as cores fortes, os superpoderes, a inteligência, a bondade, a força física e moral inacreditáveis.

Isso tudo não precisa acabar. Somos ensinados a deixar para trás nossas histórias da juventude, para que possamos fazer a transição para a vida adulta. Não ouça esse conselho. Se nos apegarmos aos tesouros que nossas histórias de juventude guardam, somos capazes de andar pelo mundo como super-heróis. Todos os que entram na Era do Escolha Você são os novos super-heróis, aqueles que nunca perderam sua herança kryptoniana.

Comece por admitir que você tem uma identidade secreta. Reconheça-a. Acorde todo dia e diga a si mesmo: "Sou um super-herói; o que posso fazer hoje para salvar o mundo?" E logo as respostas aparecerão. E você perceberá as oportunidades. Descobrirá quais são os próximos passos, como sair voando até onde precisam de você. Como levantar um carro, como usar sua visão raio-x para enxergar soluções que ninguém imaginou.

Se pararmos para pensar, na verdade o Super-Homem não tem poderes muito úteis. Nós todos temos os mesmos poderes, mas temos medo de admitir. Tem gente que diz que o Batman não tem poderes e que o Super-Homem tem. Acho que é o contrário. Pense comigo: quando que você precisaria de uma força sobre-humana? Você realmente precisa levantar um carro? Não, claro que não. Visão térmica? Para quê? Tenho um micro-ondas. Visão raio-x? Posso ver a mulher mais bonita do mundo pelada a qualquer hora que desejar. Todos meus vizinhos são feios, mesmo com roupas. Também sabemos que mulheres geralmente são mais sensuais com roupas minúsculas do que completamente nuas. E superaudição? Já sei tudo que pensam sobre mim. Acho que seria horrível ouvir as pessoas dizerem tudo que já sei que pensam de mim.

O que mais? Ah, sim, voar. Para onde você voaria? As pessoas veriam. E você engoliria mosquitinhos e atropelaria pássaros. Eca. Esquece. Eu não voaria. Nem tenho carteira de motorista. Prefiro andar. Ou pegar o metrô e assistir a um filme no iPad. Ah, e tiros não machucam o Super-Homem. Mas ninguém nunca me deu um tiro, logo não vejo a utilidade desse superpoder.

Simplesmente saber que sou o Super-Homem, com poderes secretos, é suficiente para me deixar feliz. Eu SOU o Super-Homem. Estou acima de qualquer problema terrestre. E acredito nisso com todas as minhas forças. Esse é o meu segredo. O segredo tem poder.

O único superpoder de que você realmente precisa é o de se questionar constantemente, desde o minuto em que acorda até a hora de dormir. "Que vida salvarei hoje?" é um exercício diário, mas é fácil nos esquecermos disso. Resistimos. Em vez de salvar vidas, nos preocupamos em nos salvar. "Como vou pagar as contas?" "O que faço com o assédio moral do meu chefe?" E por aí vai.

Em vez disso, superpoderes são conquistados se todo dia você tentar salvar pelo menos uma vida. Tente. Acorde amanhã e diga: "Vou salvar pelo menos uma vida hoje". Vale até ajudar uma senhora a atravessar a rua. Até responder a um e-mail e ajudar alguém a fazer escolhas difíceis pode salvar vidas. Entrar em contato com um amigo distante e perguntar "Tudo bem?" pode salvar a vida dele. Você pode salvar uma vida hoje. Não deixe o dia terminar sem fazer isso. Você é o Super-Homem.

O Super-Homem é o yogi definitivo. Não por causa de sua flexibilidade. Ele provavelmente não é muito flexível já que suas juntas e seus músculos são bem duros. Ele segue os fundamentos da yoga. Não causa mal a ninguém mesmo podendo. Ele não mente (fora sua identidade secreta que tem que ser escondida para proteger os que estão ao seu redor). Ele nunca é possesivo (por que ser possessivo se ele – assim como eu – pode ter tudo o que quiser na hora desejada?). Ele pratica *brahmacharya*, uma forma de autocontrole, se não contarmos sua relação com a bela Lois Lane. Até Napoleon Hill tem um capítulo completo sobre isso em seu clássico *Quem pensa enriquece*. O Super-Homem também parece ter certo *santosha*, contentamento. Ele nunca parece estar preocupado com rancores do passado. Nunca o vi se preocupar com o futuro. Nesse aspecto, não consegui ser sempre Super-Homem. Mas hoje, AGORA é o que me importa.

Da mesma forma, tento cultivar amizades, como o Super-Homem. Ele não vai ao bar com Lex Luthor. O Super-Homem só é amigo dos Superamigos: Flash, Canário Negro, Mulher-Maravilha, Batman. Todos têm identidades secretas. Todos veem um mundo desequilibrado. Todos têm poderes que usam para o bem e para restabelecer o equilíbrio mundial. Todos os meus amigos também são super-heróis. Cada um deles tem um poder diferente, ótimos poderes, e tenho sorte de poder vê-los em ação.

E quando alguém se junta aos malvados, não é mais meu amigo. Estou ocupado salvando vidas. Não preciso de amigos malvados.

Já passei dos 40 anos. Não preciso mais pular da cama para provar que posso voar. Sei que salvarei uma vida hoje. E ninguém descobrirá quem eu realmente sou. Mas digo o seguinte: sou Kal-El e sou do finado planeta Krypton.

Gandhi escolheu a si mesmo para libertar um país

Para começar, duas histórias curtinhas:

Primeira: Uma mulher caminhou com seu filho por vários quilômetros durante muitos dias para encontrar Gandhi. Sua preocupação era a quantidade excessiva de açúcar que o filho consumia. Ela perguntou a Gandhi: "Por favor, o senhor poderia dizer para o meu filho parar de comer açúcar?" Gandhi olhou para a mulher, pensou rapidamente e respondeu: "Tudo bem, mas não hoje. Traga-o de volta em duas semanas."

Triste, ela pegou o filho e os dois voltaram para casa. Duas semanas, depois ela repetiu a jornada. Gandhi falou para o menino: "Você deveria parar de comer açúcar. Faz muito mal à saúde." O menino tinha tanto respeito por Gandhi que parou de comer açúcar e viveu uma vida saudável. Confusa, a mulher perguntou: "Gandhi, por favor, me explique. Por que me fez esperar duas semanas para trazer meu filho de volta?" Gandhi falou: "Para que pudesse dizer ao seu filho para não comer açúcar, antes eu tinha que parar."

Segunda: Certa vez, um dos apoiadores financeiros de Gandhi declarou que "é muito caro sustentar Gandhi na pobreza." Acho que ele esperava ter alguma influência sobre o mestre. Mas dinheiro não tem valor para um líder espiritual. Uma vez, Gandhi disse a um grupo de apoiadores: "Preciso de uma hora por dia para meditar". Um deles respondeu: "Ah, não, não pode fazer isso, você está muito ocupado". Gandhi respondeu: "Bem, agora preciso reservar duas horas por dia".

Há cinco lições nessas histórias:

1. **Ninguém pode forçar você a fazer nada.** Não importa quanto paguem. Não importa o que você deva. Cada segundo define quem você é. Seja você mesmo, ninguém mais, muito menos quem os outros querem que você seja. Um empreendedor, por exemplo, tem investidores, clientes, parceiros, funcionários e concorrentes. Todos querem dar palpite, mas só você pode mudar o mundo com suas ideias.

2. **Se Gandhi estivesse muito ocupado de verdade,** seria a prova de que ele não estava cuidando de sua vida espiritual de forma adequada. Sem querer, seu apoiador o convenceu de que precisava de mais tempo para meditar e contemplar. É por meio da quietude que som, atividade e ação entram em erupção. Foi a partir do nada que o Big Bang eclodiu e o universo foi criado. É só através da contemplação que as sombras escondidas da realidade ganham

forma e assim a atitude correta pode ser tomada. Gandhi sabia disso, e sozinho derrubou um império. É da quietude que vem a criação.

3. **Não dê conselhos sobre o que não tenha conhecimento de causa.** Às vezes me vejo em um debate político e penso: "Sabe de uma coisa? Não sei nada sobre isso." E caio fora. Quando alguém me pergunta algo durante o bate-papo no Twitter, não falo nada que não tenha vivido nem dou conselhos que não tenha visto serem aplicados.

4. **Açúcar é ruim.** E já que a maioria dos carboidratos industrializados vira açúcar quando digeridos, os dois são ruins para quem deseja uma vida saudável. Quase todas as doenças são causadas por inflamação e obesidade. O peso extra vem dos açúcares que o corpo ingere tão rápido que se esquece de digerir. Não é mera coincidência que Ramit Sethi use o fio dental como exemplo de disciplina em suas palestras. Não tem a ver só com disciplina, mas também com saúde. O uso do fio dental é a primeira defesa contra o açúcar que vai entrar no seu corpo.

5. **Nada é mais importante do que cultivar a si mesmo.** Muitas pessoas acreditam que poderão salvar o mundo se derrotarem "os outros", como se "os outros" fizessem parte de alguma força do mal que quer destruir o mundo. Só que assim que você divide o mundo em categorias, em "nós" e "eles", você se torna um "deles" e perde a noção de quem você realmente é. E logo você estará na internet me chamando de babaca.

A sociedade é feita de indivíduos. A única maneira de aprimorá-la é restaurar a profunda satisfação individual. A única maneira de fazer isso é passar muito tempo em silêncio. Descubra quem você realmente é. Pergunte-se: "Os pensamentos que tenho, de onde vêm?" Não são seus pensamentos, é apenas seu cérebro biológico dando cambalhota na sua frente. Quem é esse "você" em cima de quem ele faz pirueta? Responda a essa pergunta, e *então* poderá salvar o mundo.

O mundo é cheio de conflitos. Gandhi sabia que só conseguiria fazer a diferença ao identificar seu verdadeiro "eu", muito mais profundo do que o corpo chamado "Gandhi" que, para todos os efeitos, estava salvando o mundo. A Índia ainda tem muitos conflitos, a despeito do que Gandhi tenha feito, mas ele foi uma fonte de luz enquanto viveu.

As duas histórias são sobre a mesma coisa, ainda que pareçam muito diferentes. Gandhi escolheu a si mesmo. Certa vez, ele disse: "Você precisa ser a mudança que quer ver no mundo." Todo dia, tento viver segundo esse princípio. Espero que você também.

Nove coisas que aprendi com Woody Allen

Tente fazer o seguinte exercício. Faça de conta que todos neste planeta foram enviados para ensinar algo. Pessoas famosas, pessoas mortas, seus vizinhos, familiares e colegas de trabalho. Isso dá humildade. E adivinha: você aprenderá com eles e os valorizará ainda mais, e eles também darão mais valor a você. Porque todo mundo adora ensinar.

Pense no que os titãs da indústria americana podem ensinar sobre fracassos. Todo mundo que tem sucesso aprendeu a lidar com fracassos. Começou do zero, provavelmente mais de uma vez. Henry Ford faliu em sua primeira fábrica de carros, Conrad Hilton também fracassou na primeira tentativa com os hotéis, sem contar o exemplo clássico de Thomas Edison, que testou mil versões de sua lâmpada antes chegar à bem-sucedida.

Mas vou começar com um exemplo mais mundano. Alguém que faz o que bem entende e construiu vida, arte e carreira fazendo exatamente o que quer: Woody Allen.

Eu o odeio. Porque, se você for judeu e levemente neurótico – como o Woody Allen –, já virou clichê se descrever como "woodyallenesco" com a intenção de conquistar as mulheres. Em sites de relacionamento isso acontece direto, com a esperança de encontrar uma mulher tipo a Mia Farrow (ou a Mariel Hemingway de 17 anos no filme *Manhattan*), loira, que vai se encantar por todas as suas neuroses e querer transar muito.

Isso só acontece nos filmes do Woody Allen. Bom para ele. Se a Mariel Hemingway quer transar com ele toda hora, não tem problema algum. Ele escreve e produz os filmes. Pode fazer o que bem entender neles. Cabe a você acreditar na história ou não. E as pessoas acreditam. Muitas delas.

Woody Allen lança um filme a cada um ou dois anos. Nenhum é páreo para *Guerra nas Estrelas* ou *Harry Potter* em termos financeiros, mas isso não incomoda o estúdio. Eles dão a ele 10 milhões de dólares, o filme lucra 20 milhões de dólares, todos estão felizes, e ele pode continuar fazendo o que faz.

Ele criou uma coleção considerável de obras com as quais podemos aprender. Por que aprender com ele? Porque obviamente ele é um gênio, não importa as opiniões contrárias (só o conheço pelo trabalho, não sei nada sobre sua vida pessoal). É interessante observar como ele evoluiu como artista e criador. Observar como seu humor idiossincrático mudou, como ele distorce a realidade para expandir a nossa imaginação. Ele sempre se destaca e deixa outros inovadores para trás. Para aqueles que buscam isso, é um bom exemplo a seguir.

Eis algumas coisas que aprendi com ele:

1. **Fracassar.** Uma das minhas lembranças mais antigas é a de uma bábá cuidando de mim enquanto meus pais foram ao cinema. Quando eles voltaram, perguntei o que tinham assistido e eles descreveram a história de um homem que dorme e acorda em um futuro no qual um nariz enorme comanda o mundo. Woody Allen esteve presente na minha vida desde bem cedo. Recentemente assisti *Meia-noite em Paris*, com Owen Wilson, que, apesar de não fazer muito o tipo woodyallenesco, está muito bem no papel de Woody Allen. O filme explora a história da arte e o fato de que nenhuma forma artística existe sozinha, já que sempre será influenciada pelas gerações anteriores, de centenas, senão milhares de anos atrás. É um de seus melhores filmes.

Outros, porém, são horríveis. Ele admite isso. Em uma entrevista para a revista *Rolling Stone* em 1976, ele declarou: "Gostaria de fracassar um pouco para o público... o que quero realmente fazer é explorar áreas nas quais sou inseguro e tenho pouco conhecimento."

Ele vai além. Admite que poderia ter sido como os Irmãos Marx e ter produzido o mesmo filme cômico todo ano. Mas ele não quis seguir esse caminho. Era importante crescer. Arriscar-se a fracassar. Arriscar-se a fracassar na frente de todos. Seus filmes demonstram exatamente isso, começando com o humor pastelão de *O dorminhoco* até os sombrios *Crimes e pecados* e *Ponto Final – Match Point*.

Woody Allen fracassou espetacularmente em vários aspectos – pessoais, profissionais etc. E mesmo assim ele continua crescendo e lutando para surpreender sempre em vez de simplesmente desistir.

2. **Antecipar.** Em entrevista ao *Washington Post* em 1977, ele comentou: "Acredito estarmos no fim de uma era. Agora é uma questão de tempo até que o conforto de assistir filmes em casa seja tão fácil e econômico quanto desejado." Em três dias, assisti a três filmes de Woody Allen no meu iPad. Não sei se a tecnologia mudou a maneira com a qual ele produz filmes,

mas certamente ele nunca se prendeu a uma forma específica de expressão artística que poderia não satisfazer o público. Para se destacar com criatividade hoje em dia, você precisa diversificar sua experiência artística.

3. **Ser flexível.** Admiramos aqueles que já estão na Era do Escolha Você, que rapidamente reconhecem erros e mudam a direção do seu negócio de acordo. (A nova moda é falar que esse tipo de empreendedor sabe "articular" mudanças.) Woody Allen geralmente começa com um esboço de roteiro, mas isso muda durante o filme. Em entrevista a Ira Halberstadt em 1978, ele explicou que "um filme se desenvolve de forma orgânica. Escrevo o roteiro e a partir daí suas características vão mudando. Vejo os personagens circulando e decido quando mudar. Posso mudar as coisas se Diane Keaton não quiser dizer tais falas e eu, outras. São várias razões".

Empreendedor, "empreengador". Normalmente, todas as relações mudam e se movimentam. Você tem desejos – diploma universitário, casa com piscina, promoções e família –, mas as coisas mudam. Você tem que aprender a se adaptar e ser flexível.

4. **Ser produtivo.** Para produzir um filme por ano, mais peças, artigos em revistas e livros, você deve imaginar que Woody Allen trabalha o dia inteiro. Em uma entrevista em 1980, ele disse: "Se você só trabalhar de três a cinco horas por dia, você se torna bastante produtivo. É a frequência que realmente conta. Sentar na frente da máquina de escrever todo dia é o que me faz produtivo".

Nessa mesma entrevista ele explicou que, quando era mais jovem, preferia produzir tudo de uma vez, num impulso só, mas concluiu que era um péssimo hábito. Agora ele prefere acordar cedo e trabalhar por um tempo e então deixar o resto para o dia seguinte.

Creio que a programação mais eficiente seja acordar cedo – e assim trabalhar antes que as pessoas comecem a interferir – e parar de trabalhar no auge da empolgação. Assim fica mais fácil continuar no dia seguinte.

Também li outra entrevista dizendo que Woody Allen demora um mês para escrever uma comédia, e três para escrever um drama. Trabalhando entre três e cinco horas por dia, me parece que ele escreve todos os dias, consistentemente, sem perder tempo com distrações como ir a festas ou dormir tarde.

5. **Evitar estímulos externos.** Atualmente, cometo um grande erro todo dia. Começo com a minha ronda: e-mail, Twitter, Facebook, ranking na Amazon, estatísticas do blog e comentários dos posts. Quando a Claudia me pergunta se já acabei, respondo que preciso só de uns segundos, mas acabo gastando vinte minutos. Provavelmente faço isso dez vezes por dia. Isso equivale a duzentos minutos! Três horas e vinte minutos! Argh.

Sabe onde Woody Allen estava quando recebeu o Oscar por *Noivo neurótico, noiva nervosa*? No Michael's Pub, em Manhattan, tocando clarinete. Por que pegar um voo de oito horas para ir a uma festa na qual não se sentiria tão bem e receber um prêmio com o qual não se importa muito (mesmo reforçando seu sucesso em Hollywood, a cidade que paga suas contas)?

Em outra entrevista ao *Washington Post*, em 1982, ele disse que "provavelmente não teria assistido a premiação de qualquer jeito", só para ficar olhando as pessoas que conhecia sentadas, esperando algo acontecer. Além do mais, ele tivera uma noite "superagradável" no Michael's. Para Woody Allen, seu prazer vem primeiro, antes da ansiedade, por exemplo.

Ele foi para casa logo depois de seu show. Saiu pela porta dos fundos para fugir dos fotógrafos. Chegou em casa por volta da meia-noite, a tempo de comer biscoitos e beber leite antes de dormir. E TIROU O TELEFONE DO GANCHO. Quem faz isso hoje em dia, em um tempo em que nós (ou melhor, eu) dormimos com iPads e telefones ao lado da cama? Ele tirou o telefone do gancho na noite do Oscar e foi dormir. Na manhã seguinte, fez café com torradas, abriu o *New York Times*, procurou a seção de entretenimento e viu que tinha ganhado o Oscar. Maravilhoso. Ele não se importou com essas coisas, mesmo sozinho em casa, quando ninguém estava vendo. É assim que ele mantém a alta produtividade, em contraste com a falta de produtividade que muitos de nós experimentamos já que somos afetados por estímulos externos o tempo todo.

6. **Aceitar as imperfeições.** Woody Allen já declarou várias vezes que nenhum dos seus filmes é exatamente como ele gostaria que fosse. Que são sempre imperfeitos. É como se ele fosse o perfeccionista do imperfeito. Ele quer as coisas certinhas, trabalha muito para produzir o filme da maneira que gostaria que fosse, mas sabe que isso nunca será possível.

Dito isso, a verdade é que ele nunca desiste. Em 1986, ele disse: "Vamos para a locação e filmamos, e de novo, e de novo, e mais uma vez se necessário. E mesmo assim os filmes ainda não são perfeitos. Mesmo com todo esse cuidado meticuloso, há erros. Nenhum deles está perto de ser perfeito". No fim das contas, "todos meus filmes são uma grande decepção".

Mesmo sabendo que sempre se sentirá assim, ele continua lutando para expandir sua zona de conforto de fracassos. E de novo. E outra vez. Sempre ciente de que nada que ele faça será tão perfeito quanto o que ele busca.

Nada acontece exatamente como desejamos, mas temos que aprender a aceitar e continuar vivendo com isso.

7. **Ter confiança.** Assisti *Maridos e esposas* recentemente. Não foi um filme engraçado. Não foi um filme bonito. Assisti com a Claudia, e no final estávamos pensando "Espero que isso não aconteça com a gente daqui a dez anos". O filme foi chocante. Em

vez da maneira tradicional, ele foi filmado com uma câmera de mão. Foi editado com muitos cortes, que fazem a gente ver uma personagem ao longe e, no minuto seguinte, de repente, ela está colada na tela porque o filme não foi cortado adequadamente. A edição faz grande parte da história, como se participasse da narração tanto quanto o roteiro ou a atuação.

Isso me lembrou o que Kurt Vonnegut, considerado um escritor experimental, disse: "Para ser experimental, primeiro você tem que saber usar todas as regras da gramática. Você precisa ser um especialista no que é tradicional". Também me lembrei de Andy Warhol, que era um artista muito bem pago e abertamente comercial antes de começar a experimentar e desenvolver o fenômeno da Pop Art.

Em uma entrevista de 1994, Woody Allen falou sobre *Maridos e esposas*: "A confiança que vem com a experiência permite que a pessoa faça várias coisas a que nunca se arriscaria nos primeiros filmes. Você passa a ser mais ousado, libera seus instintos e não se importa tanto com as sutilezas".

Em outras palavras: domine a forma na qual deseja operar, ganhe experiência, aceite ser imperfeito e então desenvolverá a confiança necessária para brincar com essa forma, para desenvolver seu próprio estilo. Isso é visível em Kurt Vonnegut e sua transformação entre *Revolução no futuro,* do começo dos anos 1950, e *Matadouro* 5, de 1969, um romance sobre a Segunda Guerra Mundial que inclui alienígenas que viajam no tempo.

8. **Aparecer.** Em uma declaração famosa, Woody Allen uma vez disse que 80 por cento do sucesso consiste apenas em aparecer. A frase não precisaria de complementos, fora o fato de que, para o empreendedor, "99 por cento do sucesso é aparecer". Por que aparecer? Você tem que encontrar investidores, desenvolver conceitos, encontrar os primeiros clientes, *você* vai atrás dos compradores. Eles não aparecerão na sua porta. *Você é que aparecerá na porta deles.* Do contrário, o negócio não decola. Bill Gates procurou um homem no Novo

México para construir o BASIC. Bill Gates entrou no meio das negociações quando a IBM quis comprar uma patente para um sistema operacional. Ele continuou aparecendo enquanto outros estavam esquiando.

9. **Transformar o meio em mensagem.** Já comentei sobre isso, mas gostaria de elaborar mais. Os cortes, a câmera na mão, todos os aspectos de *Maridos e esposas* estão interligados na história. Segundo Woody Allen, ele "queria algo dissonante, pois os personagens também eram assim. Queria que a audiência sentisse a agonia e o nervosismo". Com isso, ele demonstra não só sua evolução como cineasta, mas seu aprendizado com outros artistas – além de Godard e Bergman, que também fizeram experiências, músicos como Profokiev, para quem a dissonância em si era tão entranhada na música que se tornava parte dela, e não notas tocadas a esmo. Isso fica claro em *Meia-noite em Paris*, no qual Owen Wilson viaja no tempo para mostrar com precisão a origem de sua arte.

Minha lição? Estude o histórico da forma que deseja dominar. Estude cada nuance. Se você quer escrever, leia não só os contemporâneos, como também quem os influenciou. Busque inspiração em outras formas de arte, como música e pintura, e nas influências delas também. O que repercute com o tempo, mesmo que tenha cem anos, também repercutirá no seu trabalho. É a lei do universo.

Hoje em dia, queremos transformar décadas de trabalho em poucos anos ou até meses. Woody Allen construiu sua carreira em mais de cinco décadas e foi persistente, mesmo que escândalos, filmes ruins ou alguma crítica ruim pudessem ofuscar sua trajetória. Ele as colocou de lado e seguiu em frente.

Então, o que aprendemos com Woody Allen?

A) Acorde cedo.
B) Evite distrações.

C) Trabalhe de três a cinco horas e aproveite o resto do dia.
D) Seja o mais perfeccionista possível, sabendo que a imperfeição é a regra.
E) Tenha confiança para fazer mágica e ampliar fronteiras.
F) Mescle as ferramentas do meio escolhido para transmitir a mensagem.
G) Não fique parado; siga em frente e experimente, tendo como base a confiança que vem do aprendizado.
H) Mude as regras, mas antes aprenda-as.

O mesmo pode ser dito da Era do Escolha Você. Ou para as pessoas que são vitoriosas em qualquer parte da vida. O Woody Allen é feliz? Quem sabe? Mas ele atingiu seus objetivos. Fez filmes. Contou histórias. Viveu o sonho, mesmo quando estava no limiar do pesadelo. Quem dera tivéssemos a mesma sorte.

A competência e o último show dos Beatles

No dia 30 de janeiro de 1969, os Beatles se odiavam, e estavam cansados de trabalhar no álbum *Let It Be* dentro de um estúdio apertado. Num impulso, decidiram levar todo equipamento para o telhado do prédio, no meio do inverno. Ali tocaram durante meia hora. Foi o último "show". A última apresentação em grupo havia sido mais de dois anos antes. A banda terminou pouco depois e nunca mais tocaram juntos.

Digo que foi um show porque as pessoas que estavam por perto logo identificaram a música.

Não podiam acreditar. Os trabalhadores nos escritórios saíam à janela e desciam as escadas para ver melhor. As mulheres corriam pelas ruas tentando encontrar um lugar melhor. Um senhor subiu pela escada de incêndio com seu cachimbo para assistir do telhado do prédio. Em dez minutos, as ruas estavam lotadas e todos olhavam para cima, de onde vinha a música. Não conseguiam ver, porém sabiam exatamente quem estava ali. O "show" dos Beatles paralisou Londres por meia hora.

Quase na metade, a realidade bateu nos espectadores. Um deles disse: "Que absurdo atrapalhar todos os negócios ao redor." Nunca saberemos o nome desse cara. Nunca saberemos no que ele estava trabalhando em janeiro de 1969 que era tão importante. Ou quais negócios havia ao redor naquele inverno. Mas mais de quarenta anos depois, ainda assistimos ao vídeo desse acontecimento. Ainda ouvimos as músicas.

Algumas coisas interessantes sobre esse vídeo:

A) Os músicos se odiavam. Eles já tinham praticamente desfeito a banda. O álbum ia se chamar *Get Back* [Voltar]. Mas eles não conseguiram voltar, e então o título virou *Let It Be* [Deixe estar]. Esse foi o último álbum da banda. Podem tentar culpar qualquer coisa: Yoko Ono, Linda McCartney, conflitos criativos, Phil Spector, a morte de Brian Epstein etc. Qualquer que seja a verdadeira razão, eles se odiavam mesmo tendo criado esse enorme sucesso juntos.

B) Está estampado na cara deles que é a última apresentação deles juntos. Ringo está triste. George Harrison mais ainda. Uma semana antes, Harrison brigara na rua com John Lennon e saíra gritando: "Tô fora! Te vejo por aí". A banda cogitou substituí-lo por Eric Clapton, mas Harrison voltou. Paul McCartney declarou que, sem os quatro membros, os Beatles não seriam os Beatles.

C) George Harrison não gostava nem um pouco de ver John Lennon se distanciando mais e mais da banda para trabalhar sozinho. Lennon odiava as composições de Harrison e McCartney. (Lennon falou, após o lançamento do álbum, sobre "The long and winding road" e a dinâmica com o produtor Phil Spector: "Ele recebeu uma montanha de merda mal gravada e mesmo assim conseguiu transformar em alguma coisa.") Em outras palavras, eles se odiavam. E não escondiam isso. Não queriam trabalhar mais juntos mesmo com tantos anos de sucesso criativo e financeiro. George Harrison entrou na banda aos 14 anos. Eles cresceram juntos.

D) A segunda música que cantam juntos no vídeo, "Don't let me down" [Não me desaponte], é mordaz. Foi escrita originalmente por John Lennon para Yoko. Mesmo sendo tão bem-sucedido, Lennon morria de medo de se decepcionar com Yoko. Apesar de tentarmos fugir dos medos de infância, o sucesso só os aumenta. Somos como pássaros tentando subir em uma árvore para conquistar a liberdade do céu azul. Assim que aprendermos a voar, conseguiremos ser livres de verdade. Para Lennon, ter sofrido desilusões quando criança se manifestou em um apelo não só para a mulher, como também para milhões de ouvintes.

Dá a impressão de que ele não está cantando só para ela. Canta também para os Beatles, que o desapontaram também. Canta aos quatro ventos, para todos ouvirem. Canta para Londres. Ele pede pelo futuro, para que possa ser independente do ponto de vista criativo – "Don't let me down". E, como em uma profecia, o mundo o desapontou da pior maneira em 8 de dezembro de 1980. A música nunca chegou à versão final do álbum. Gosto da versão original em que Lennon e McCartney cantam juntos, com Ringo ao fundo. Os três mal se falavam naquela época. Um tinha decepcionado o outro e vice-versa e, mesmo assim, eles não deixaram de criar belas músicas.

E) A competência dos Beatles. Apesar dos problemas, apesar do desprezo que cada um sentia pelo talento musical dos outros, apesar dos problemas financeiros e jurídicos que se empilhavam com o fim da banda, eles subiram ao palco e CANTARAM. Assisti a esse vídeo centenas de vezes. Paul abre a boca e a música começa e não para por vinte minutos. É lindo. Pessoas competentes seguem em frente e fazem o que tem que fazer. Espero que em minha vida consiga ser tão bom em alguma coisa como os quatro foram no que faziam, mas duvido muito que isso aconteça.

E, finalmente, a mente de principiante.

No fim do vídeo, quando a polícia chega e os manda parar por causa do barulho, eles encerram tocando "Get back" de novo. No meio da música, Paul McCartney canta: "Você está cantando no telhado novamente, sabe que sua mãe não gosta nada disso, ela vai mandar prender você!" Quando eles deixam os instrumentos de lado, John Lennon fala, sarcástico (foi a última coisa que os Beatles falaram para o público): "Em nome da banda e de nós mesmos, espero que tenhamos passado no teste".

Um criador não descansa. Não importa o que você faz, nem o que você cria. Cada momento é um teste. Cada vez que você cria algo é sua chance de subir no telhado e fazer algo novo, de alguma maneira que você não tenha feito antes, que provavelmente provocará rupturas e vulnerabilidades, mas que ao mesmo tempo será divertido e único. As pessoas vão odiar você, vão amar você, e subirão no telhado para ver você antes que a polícia o prenda. Os Beatles passaram naquele teste. Agora é a nossa vez.

O que fazer quando você for rejeitado

Todos na mesa já haviam sido rejeitados centenas de vezes. Eu estava em um jantar com vários escritores que decidiram publicar seu trabalho pela Amazon. Todos escolheram a si mesmos. Todos, menos eu, escreviam ficção e já tinham vendido mais de 100.000 exemplares. O cara na minha frente tinha acabado de negociar seu livro para virar uma série de ficção científica. Uma mulher estava escrevendo a continuação de sua série sobrenatural para jovens adultos. Outro cara tinha vendido mais de 500.000

exemplares de livros de suspense. Ao meu lado, estava um cara muito famoso por sua série de livros para crianças, *Sweet Farts* [Puns carinhosos].

Todos tinham algo em comum. Enquanto construíam a carreira, tinham sido rejeitados. Alguns deles centenas de vezes. Agora estavam quase a ponto de escrever em tempo integral e viver só disso, ou já tinham dado essa virada. E todos sorriam.

Quantos ainda estariam sorrindo se tivessem desistido na 39ª tentativa e nunca tivessem tentando pela quadragésima vez? Ou se não tivessem tomado a decisão de assumir o controle do processo criativo e passar pelas barreiras impostas pelo mercado?

Já fui barrado pelo mercado várias vezes. Uma vez, por exemplo, meu chefe disse: "Pare de trabalhar nisso e foque a atenção em sua função específica." Outra vez eu estava tentando vender um programa de TV e só havia duas pessoas com poder de decisão, que disseram não por razões políticas. Ou quando eu quis vender uma empresa e novamente a decisão de realizar ou destruir o que eu via como a minha vida estava na mão de uma ou duas pessoas. Sentia um medo enorme sempre que falava com elas, por entender todo o poder que tinham sobre mim e ingenuamente pensar que não tinha nada a oferecer em troca.

Todo dia, em todos os aspectos da vida, somos rejeitados. Rejeição é provavelmente a força mais poderosa. Pense nas vezes em que foi rejeitado e como sua reação mudou sua vida. Há três tipos básicos de respostas:

A) Não presto para isso. Não consigo. Desisto.
B) Eles são uns idiotas. Vou continuar lutando.
C) Hum, o que posso fazer de diferente? O que posso aprender com essa rejeição?

Obviamente vou ignorar as duas primeiras. Pode ser que você precise desistir. Ou também pode ser que você não deva fazer nada para mudar e deva continuar lutando, mas essa nunca deveria ser a primeira resposta, embora eu tenha visto isso acontecer muitas vezes nos últimos tempos.

Então, como lidar com a rejeição e continuar lutando para crescer?

1. **Melhore.** Você queria AQUELE trabalho, AQUELA bolsa de estudos, vender AQUELE programa de TV, empresa, o produto que for. E disseram não. Olhe bem para o seu produto. Você pode melhorar? Você pode dar um passo para trás e reavaliar seu produto? Talvez sim, talvez não. Mas pense antes. Quais são as dez coisas que você pode fazer para melhorar o que você já está fazendo?

Certa vez tentei vender uma empresa. Não tínhamos lucros nem clientes suficientes. Eu também era inconsistente em relação aos serviços oferecidos. Havia pelo menos dez aspectos que poderiam ser melhorados. Aos poucos, arrumei todos eles e vendi a empresa um ano depois.

2. **Amplie o universo de tomadores de decisões.** Até dois ou três anos atrás, se alguém quisesse vender um livro, teria que enfrentar entre cinco a dez tomadores de decisão. Todo ano nos Estados Unidos quase 20.000 pessoas enviam originais para esses tomadores de decisão e são rejeitadas. Quem as rejeita? Estagiários e assistentes recém-formados que estudaram literatura e muitas vezes não têm tempo de ler o manuscrito.

Agora você pode se autopublicar, e o processo é ótimo. Você escolhe a si mesmo, e, mais importante ainda, os leitores se tornam os tomadores de decisão. Um universo de milhões de leitores vai ajudar você a decidir como melhorar, como tomar as rédeas do seu processo criativo e, por fim, como ter o poder sobre toda a sua vida.

3. **Entre na Era do Escolha Você.** A revolução nos meios de comunicação é deslumbrante. Não é somente uma ferra-

menta a mais. Pela primeira vez em quinhentos anos temos uma revolução nos meios de comunicação em massa. De qualquer jeito, escolha você para ser vitorioso, melhorar, comunicar e estender a mão ao próximo. Não deixe a oportunidade passar. Na verdade, a "rejeição" pode ser a força que vai impulsionar você para essa oportunidade, como fizeram os outros vinte escritores que conheci aquela semana.

Essa ideia vale para tudo. É possível aumentar o público do seu produto? Sites de relacionamentos expandiram os tomadores de decisão da vida amorosa. O YouTube expandiu o universo de opiniões que decidiram o destino das pessoas. Odeio admitir, mas os vídeos que o próprio Justin Bieber postou (e já passaram de 2 bilhões de acessos) aumentaram muito suas chances de sucesso – fugindo da maneira tradicional, em que de cinco a dez estúdios decidem. Respeito esse cara, que escolheu a si mesmo e fez dar certo.

4. **Aprimore sua abordagem.** Você é rejeitado direto na balada? Vá a outro lugar, onde consiga mais vantagens. Ninguém responde aos seus e-mails de apresentação? Ofereça algo em troca. Dê algo de graça para que as pessoas deem valor a sua oferta na hora. Continua ligando para seus clientes e eles desligam na sua cara? Encontre outra maneira de distribuir seu produto.

5. **Mude, não desista.** Já fui a pessoa que desistiu na 39ª tentativa e nunca chegou à quadragésima quando tentei vender meu livro. Às vezes, suas chances são mesmo pequenas. Talvez funcionasse na quadragésima tentativa, não sei. Mas agradeço por ter desistido, porque pude mudar. Em vez de focar na ficção como a melhor forma de escrever, comecei a encarar a TV e a então revolucionária World Wide Web como formas criativas de mídia, o que resultou em um emprego na HBO, que por sua vez me levou à construção de websites para empresas de entretenimento.

Não desisti de ser criativo. Expandi o poder da minha criatividade ao deixar de me limitar a um único domínio, e prometi voltar a escrever mais tarde, de preferência ficção científica. Talvez volte, talvez não. Mas essa mudança foi libertadora do ponto de vista criativo, e pude usá-la para estruturar minha vida financeira e criativa. Vamos ver no que vai dar.

6. **Melhore sua autenticidade.** As mídias sociais também poderiam ser chamada de "mídias individuais" em vez de "mídias de grupo". Em vez de depender de um grande grupo para divulgar seu nome, você cria sua própria plataforma por meio de Facebook, Twitter, LinkedIn, Quora, Pinterest, blogs, Amazon, SlideShare, Scribd, Reddit etc. Tudo isso é usado para criar autenticidade. Cada seguidor, fã etc. que você atrai para seu time legitima a sua autenticidade, não importa se outros o rejeitarem. Assim você escolhe a si mesmo e constrói sua plataforma, em vez de esperar a boa vontade de alguns poucos selecionados.

7. **Peça conselhos.** Alguém te rejeitou? Pobrezinho! Agora, depois do seu luto, pergunte-se por que isso aconteceu. Você sofrerá rejeições a sua vida toda. De diversas maneiras. Nunca é demais entender por quê. Às vezes as pessoas falarão o que aconteceu, e, nesses casos, você com certeza se lembrará.

8. **Flerte com o fracasso.** Você acabou de ser rejeitado? Como lidou com isso? Chorou? Desistiu? Perguntou-se "Por que eu SEMPRE fracasso?" ou pensou "Esses caras são uns idiotas por me rejeitarem"? Entenda sua reação ao fracasso. O que pode fazer para melhorar?

Uma vez li que 76 por cento do universo é feito de "energia escura". Não temos nenhuma ideia do que seja isso. Outros 20 por cento são "matéria negra", ou seja, é matéria, mas também não fazemos ideia do que seja. Somente 4 por cento do universo é feito de materiais que conhecemos. Em outras palavras, depois de Newton, Einstein e Heisenberg e 2.000 anos de exploração do universo e seus elementos, fracassamos. Na verdade, quanto mais conhecimento temos, mais percebemos o quanto somos atrasados. Pensávamos que tínhamos entendido tudo sobre o nosso mundo. Mas agora até a teoria do Big Bang está sendo desafiada. Somos péssimos para entender o mundo ao nosso redor.

Você acha que os físicos choram antes de dormir à noite por terem fracassado em seu trabalho? Claro que não. Esse fracasso trouxe oportunidades de descobrir ainda mais. Abriu vários campos potenciais para um conhecimento que pode nos ajudar a entender o universo e a compreender quem somos.

Não são todos os fracassos que se tornam oportunidades, mas tente desvendar esse mistério com suas próprias experiências. Analise as vezes em que fracassou. Quantas, olhando bem, eram oportunidades. Há dois anos, um bilionário me ofereceu 50 milhões de dólares para começar um fundo. Um de nossos amigos em comum impediu a negociação por alguma razão que até hoje não sei. Na época fiquei triste.

Hoje acho ótimo. Fiz várias coisas após esse episódio que nunca teria feito se estivesse ocupado administrando um fundo. Ainda bem que fui rejeitado! Nunca teria escrito esse livro, por exemplo.

9. **Aceite os fatos: o normal é ser rejeitado.** Ser rejeitado por empregos, filhos, amigos, família, relações, negócios, editoras, todo mundo. Como Dashama escreveu em seu e-mail (ver o capítulo "O curioso caso da foto sexy"): um terço das pessoas gosta de você, outro terço te odeia e outro terço não está nem aí, não importa o que você faça.

Na verdade é bastante ANORMAL não ser rejeitado. Mais ainda, ser "aceito" ou "ter sucesso" no sentido convencional do termo. Então aceite que é normal ser rejeitado. E também é normal ter medo do futuro. Na verdade, o contrário é que seria rejeitar a realidade.

Mas também reconheça seus sucessos. As coisas anormais que aconteceram. As coisas que você fez para melhorar. O que você aprendeu nessa sua escolha.

Não entre em uma história ("sempre sou rejeitado") que é mais conto de fadas que realidade.

10. **Mantenha contato.** Acho difícil manter contato com as pessoas; queimo o filme com frequência. Mas também ganhei várias coisas quando fugi desse padrão de comodismo.

Exemplo: Uma vez tentei vender uma empresa para a Omnicom, a grande agência publicitária. Fiz uma reunião com a representante deles e ela achou que não estávamos prontos ainda.

Todo mês enviava uma atualização para ela: novos clientes, novos números de vendas, quantidade de funcionários. Também me ofereci para ajudar qualquer agência que trabalhasse para a Omnicom. Uma vez liguei pedindo indicação de alguma agência do grupo Omnicom para ajudar um cliente meu. Em outras palavras, ofereci um valor real.

Depois de um ano mandando atualizações da empresa, ela me indicou a três agências do grupo. Todas me fizeram ofertas. Aceitei alguma? Não, mas pude aproveitar essas ofertas para conseguir um acordo melhor ainda com outra empresa que apareceu do nada.

Odeio a frase "A vida é muito curta". Às vezes acho que é longa demais. Mas certamente é curta demais para me preocupar com rancores. Estamos todos tentando sobreviver. Os rejeitados e os que rejeitam. Ninguém está livre disso. Então é bom que mantenhamos contato. Assim é mais fácil alcançar a linha de chegada.

Sobrevivendo ao fracasso

A melhor coisa que aconteceu comigo em 2012 foi ter dito não a um atropelamento por um tanque em Santiago, no Chile. "Você não se machucará", disse Mattias, "confie em mim, tem bastante espaço debaixo do tanque." O convite foi feito a pedido do presidente do Chile, que no começo daquele ano anunciou que suas finanças tinham aumentado em 200 milhões de dólares desde que se tornara presidente. Isso é o capitalismo, e ele me convidara para testemunhar esse fato.

Certa vez, alguém me escreveu para dizer que ficou muito desconcertado por não ter fechado um negócio no qual trabalhara duro o ano inteiro para conquistar. "Como você supera isso?", perguntou. Ouço isto direto: "Como superar?" Um relacionamento, um negócio, uma doença, um insulto. E também lido com essa pergunta. Várias coisas ruins acontecem.

Como superar? Diversificação é a chave: supere algo arranjando várias outras coisas melhores com o que se importar.

Mas tem outra coisa: é preciso agir como criança. Este livro terminou de ser escrito na última noite de 2012. Na noite anterior, minha filha me acordou chorando. "Esqueci de fazer meu dever de casa hoje!", disse. "Tudo bem, filha, podemos fazer amanhã." "Mas aí estragarei o último dia do ano", ela respondeu, "é feriado!" "Tá bom, faremos no dia seguinte", disse eu, tentando acalmá-la para que eu pudesse voltar a dormir. "Mas o primeiro dia do ano também é feriado!", e ela estava chorando e eu não tinha mais dias.

Vai acontecer com todo mundo. Uma hora ou outra, acabam-se os dias. E uma criança vai chorar e sentir nossa falta. E outra criança vai chorar e sentir falta quando aquela crescer e a vida murchar.

Diversificação é importante, mas as crianças têm a capacidade de esquecer. No dia 2 de janeiro, minha filha não se importará mais com o dia em que ela fez seu dever de casa. No dia 3 de janeiro, minha filha mal se lembrará do dever de casa. E quando chegar o dia 4 de janeiro, minha filha não se lembrará de nada daquele dever de casa. Em 5 de janeiro, porém, me lembrarei de todas as coisas ruins que aconteceram comigo. Porque não foi uma coisa só. Olha o que me aconteceu em 2012:

A) Comecei três fundos que não deram certo.
B) Tentei fazer alguém comprar 1 bilhão de dólares em investimentos no Facebook (antes de virar empresa aberta) e não funcionou.
C) Tentei convencer alguém a vender 300.000 dólares em investimentos no Twitter e não consegui.
D) Tentei criar uma joint venture de petróleo de 1 bilhão de dólares.

E) Tentei comprar um milhão de barris de petróleo e não consegui.
F) Três empresas nas quais eu investi me deram zero retorno.
G) Espero a resposta de uma empresa para saber se conseguirão outros fundos, ou se só dependerão de mim para não quebrar.
H) Vendi uma casa na qual nunca morei. Perdi 800.000 dólares, mas estou muito feliz de ter me livrado dela.
I) Minha filha mais velha agora é uma adolescente, o que acabou sendo uma perda muito maior do que eu esperava. O tempo não volta.
J) Minha mãe me acusou de ter matado meu pai e então não fala mais comigo.
K) Nenhuma das minhas duas irmãs fala mais comigo.
L) Recebi e-mails odiosos diariamente. Teve um falando que eu era judeu demais, e outro, na semana seguinte, dizendo que eu era uma desgraça para o mundo judaico.
M) Recebi o resultado do meu teste de DNA e tenho o dobro do risco de ter Alzheimer. O mesmo com Parkinson. Disse a uma amiga que escreveria um livro chamado *A dieta APoE4* (APoE4 é o gene ou o cromossomo ou o treco qualquer que causa Alzheimer). Ela respondeu que seria um best-seller, já que todos esqueceriam que tinham comprado.

Aos 6 anos, montei um daqueles foguetes que você enche de água e depois lança no ar, espalhando água por todo lado. A água sobe uns 100 metros. "Vai chegar até o espaço?", perguntei ao meu pai. "Talvez", ele respondeu. E por que não? Eu tinha 6 anos, tudo podia acontecer.

No mesmo ano, inventei óculos para ver ao contrário. Desenhei e mostrei para os meus avós. "Foi você quem desenhou?", meu avô perguntou, e de cara fiquei feliz com a minha invenção. Aos 6 anos, eu acreditava não só em Jesus mas também em Zeus e Hermes e Thor e Super-Homem, e meu único desejo era ser um super-herói quando crescesse.

Quando se é criança, tudo tem um ponto de interrogação no final. Só mais tarde eles viram ponto final. Ou exclamações. "Será que vou superar isso?" vira "É tarde demais", que vira "Não consigo sair dessa!"

Minha única esperança é que eu possa envelhecer com mais pontos de interrogação que pontos finais. Transformar julgamentos em perguntas. Transformar "Isso" em "Aquilo?" Transformar cada problema em um labirinto. Ser como uma criança de 6 anos. Na próxima vez que o presidente do Chile quiser que eu seja atropelado por um tanque, provavelmente direi sim. Ou posso também sair para dar uma volta na minha espaçonave e beijar um anjo na Lua. "Lábios são lindos", eu diria, antes de cair de volta à Terra.

Conquiste o mundo

OK. Acabou.

Toda aquela coisa de "emprego". A segurança corporativa criada pela Revolução Industrial. Pensávamos que estávamos a salvo, que não precisaríamos mais batalhar sozinhos, que alguma grande corporação tomaria conta da gente depois de pagarmos a dívida com a faculdade.

Bem, isso é mito. Não diria uma mentira, porque todos nós acreditamos nisso em algum momento. Todos nós gostaríamos de fazer e acontecer. Mas a sociedade não é tão simples. Não se pode separar o espírito da ciência, a arte das finanças nem o emprego das inovações e esperar que o resultado seja bonitinho. Não é. E a mudança já começou. O mundo está dividido.

Uns cairão no abismo criado pela separação do mundo. Outros não dominarão as ferramentas necessárias para viver com saúde e construir a plataforma de autossuficiência que é necessária para escolher a si mesmo. Mas vários outros conseguirão. Espero que os leitores deste livro consigam.

A solução não é tão diferente do que foi em outras épocas, mas é mais imediata se quisermos não só sobreviver, mas prosperar. E sim, claro, ajudar a nós mesmos a ter saúde. Criar mais escolhas para nós, em vez de depender dos outros. E depois gerar riquezas financeiras, emocionais, espirituais.

Uma maneira de pensar sobre isso é com a imagem de um círculo. Quero que você pegue uma caneta e um papel e faça o seguinte: desenhe um círculo pequeno. Escreva o que você faz dentro desse círculo. Se você é uma secretária escreva "secretária", se for um artista escreva "artista", se for mãe escreva "mãe". Escreva o que é o centro da sua vida. Se tiver dúvida, coloque o cargo no trabalho. Se não tiver emprego, coloque o que gostaria que fosse o principal na sua vida.

Desenhe um círculo em volta desse. Desenhe linhas dividindo o segundo círculo, como compartimentos em uma estação espacial. Escreva o nome das pessoas que são afetadas pelo seu círculo. Talvez você possa ajudá-los a trabalhar melhor. Talvez você seja um médico e eles sejam seus pacientes. Talvez você seja uma secretária e eles sejam colegas, chefes, familiares que você sustenta ou parentes que te apoiam, amigos que confiam em você. Se você escreve um blog, podem ser os leitores.

Desenhe um círculo em volta do segundo círculo. Desenhe as linhas divisórias de novo. Quem vive nesses compartimentos? As pessoas que são influenciadas pelas pessoas que influenciam você. Por exemplo, os filhos de seus amigos. Amigos de seus filhos. A família do seu funcionário. O seu chefe. Esse seria seu terceiro círculo.

Próximo círculo: o que o seu círculo central pode se tornar. Um blog pode virar um livro, um programa de TV, uma consultoria, um romance, quem sabe? Continue pensando. Um zelador pode virar um CEO. Exercite seu cérebro. O trabalho de um médico pode se tornar um negócio, um livro, um conselho, uma aula, uma missão. Uma secretária pode se tornar chefe, abrir uma empresa. Como seu círculo central cresceria se você o cultivar por um tempo?

Desenhe mais um círculo: pessoas que você gostaria de afetar. Talvez seja o Barack Obama. Um produtor de filmes. Uma editora. Ou o CEO da sua empresa. Ou todos os capitalistas no mundo. Coloque-os lá. Por que não? É só um desenho, estamos brincando.

Não é impossível. Por exemplo, a Oprah pode ler o meu blog, talvez até já tenha lido. Ou talvez um parente de um leitor mostre meu blog para Gayle King e ela vai mostrá-lo para sua melhor amiga, Oprah. Pode acontecer.

E, finalmente, mais um círculo. Esse círculo tem todas as pessoas do mundo nele. Por que se a Oprah, ou o Obama, ou uma editora, ou todos os capitalistas do mundo, são afetados pelo seu trabalho, no fim das contas o mundo todo, de alguma maneira, será afetado.

Você talvez não consiga desenhar os círculos. Talvez você pense que trabalho, amor, amizade, caridade ou o que vê como "principal" hoje (somente hoje, é isso que importa) não afeta mais ninguém. E que, se afetar, sinta que o efeito acaba logo aí ou, mesmo que continue e se espalhe como um vírus, que ele desaparece com o tempo e a distância, até que seja desprezível. Nada.

Tudo bem. Comece novamente. Mude algo pequeno. Talvez você não seja secretária nem médico. Talvez, lá no fundo, você seja um artista. Ou uma mãe. Ou um pai. E seu impacto é muito mais extenso do que você pensava. Faça os círculos de novo. Faça até que seu último círculo inclua o mundo todo. Jogue fora as pessoas do passado. Desenhe mais círculos.

Quando éramos crianças, se não passássemos em um teste, todos gritavam: "Segunda chance!" Mas não estamos na escola.

Estamos na vida. Você tem uma segunda chance. Várias e várias delas. Desenhe os círculos de novo. Continue desenhando até finalmente chegar ao último círculo. O círculo da possibilidade. O círculo no qual o mundo muda por causa da sua existência.

Refaça!

Muitas pessoas, com pressa na vida, param no segundo círculo, naqueles em que causam impacto direto. Talvez até parem antes desse círculo, pensando somente no impacto de seu primeiro círculo. Não pare. Desafie-se. Veja no que você está envolvido. Perceba como o mundo está preso em uma teia. Desafie-se até que essa teia se expanda: círculos dentro de círculos dentro de círculos. Não se trata de conquista financeira ou de mais poder. Trata-se da conexão com quem você realmente é, de ver até onde você pode desenvolver seu potencial, simplesmente porque você é humano.

Conecte os círculos internos e os externos de maneiras mais e mais profundas. Em um dado momento, as linhas desaparecerão e teremos um grande círculo. Você estará no meio. Você praticará isso diariamente. Escolha você. Você é a fonte disso tudo. E sua luz e suas decisões afetam outras pessoas.

Você está melhor? Sim. Estamos todos bem melhores, obrigado.

Depoimentos

Eu sou sempre muito grato aos e-mails que recebo ou aos tweets de pessoas que mencionam a ajuda que receberam com essas ideias. Ao compartilhar uma ideia que deu certo para você, só há uma certeza: deu certo para você.

Então é legal saber que dá certo para outras pessoas também, que sua experiência vale para a vida das outras pessoas e que sua maneira de se expressar foi eficiente na comunicação dessas experiências.

Aqui está uma amostra de e-mails e tweets que recebi em um único dia. Novamente, agradeço muito a todos e espero que mantenham contato para me falar como as coisas estão indo.

"Faço a Prática Diária há tanto tempo que já entrei no piloto automático. Agora quando me perguntam como fiquei tão bacana, digo apenas: 'Já ouviu falar do @jaltucher?'"
Andrew Ferri @Andrew_Ferri

"@jaltucher, QUANDO vier ao Colorado, vou construir um trono e carregá-lo comigo ao meu pequeno pedaço do céu"
Scott Balster @scottbalster

"Ah, coronel Altucher, seu blog é de lamber os dedos!"
Carrie Armstrong @CarrieArmstrng

"@jaltucher, só posso dizer uau e obrigado"
Jackyism @jacyism

"@jaltucher Amei o seu artigo '10 razões por que 2013...' Me deu forças para finalmente começar meu próprio negócio"
Doctor Coke @AmielCocco

"Seus artigos colaboraram para trazer um propósito nobre e maravilhoso à minha vida. Tenho novas perspectivas toda vez que os leio."
Cesar Trujillo

"Você aperfeiçoou a arte de contar histórias."
Joe Choi

"O que você faz é revolucionário de tantas maneiras diferentes. Mas não pense muito sobre isso, senão pode agourar. Continue apenas se aperfeiçoando."
James Kostohryz

"Você é um baluarte de honestidade, James. Toda vez que leio seus posts vejo as coisas sob uma ótica diferente."

Ashish Hablani

"Percebi que fui capaz de sorrir ao longo de um dos dias mais difíceis no trabalho em 16 anos. @jaltucher, seu blog me colocou nesse caminho. Valeu."

Cristy Skram, @UCAGWUW

"James, só queria dizer que você é uma das minhas maiores inspirações. Precisava agradecer pessoalmente."

Vincent Nguyen, @SelfStairway

"Acho que você não se lembra de mim, não se sinta na obrigação de responder. Há dois anos, você literalmente salvou minha vida.

Estava muito mal, tinha perdido o emprego dos sonhos, minha esposa e eu estávamos no limite, tive que aceitar um trabalho idiota, e por aí vai.

Achei o seu site, mandei um e-mail e você de fato dedicou tempo para me responder. Eu nunca me esqueci disso.

As coisas pioraram, mas eu lutei como o diabo, em grande parte por causa do seu conselho, e aos poucos comecei a me reerguer.

Agora as coisas estão melhores. Consegui um emprego melhor, minha esposa e eu temos um relacionamento melhor, meus filhos estão felizes e vivendo bem, e estou ralando muito para alcançar alguns sonhos.

James, cara, sei que você ouve isso o tempo todo, mas você mudou minha vida. Obrigado, obrigado por ter dedicado seu tempo dois anos atrás, obrigado por ser quem você é."

Anônimo

Por favor, mande seu e-mail para altucher@gmail.com